suhrkamp t

Marieluise Fleißer, geboren am 23. November 1901 in Ingolstadt und dort am 1. Februar 1974 gestorben, wird heute mit ihren Dramen und ihrer Prosa zwischen Brecht und Horváth gestellt. Sie studierte 1919 bei Arthur Kutscher in München Theaterwissenschaft, kam dort in fördernden Kontakt mit Lion Feuchtwanger und Bertolt Brecht und gehörte schließlich zur literarischen Gruppe, die Brecht um 1925 in Berlin um sich versammelte. Im 3. Reich erhielt sie Schreibverbot. Marieluise Fleißer lebte seit 1930 wieder in Ingolstadt.

Ihren einzigen Roman, 1931 unter dem Titel *Mehlreisende Frieda Geier* erschienen, hat Marieluise Fleißer 1972 neu bearbeitet und ihm den Titel *Eine Zierde für den Verein* gegeben. In der vermeintlichen Idyllik einer deutschen Provinz in den Jahren vor 1933 sucht Gustl Amricht, Kleinstädter, Zigarrenladeninhaber und Schwimmphänomen, die Nähe von Frieda Geier, erobert und heiratet sie. Aber an der Selbständigkeit Friedas prallen »die natürlichen Machtmittel des Mannes« ab, sie läuft ihm davon, und der Enttäuschte stürzt sich mit großem Entschluß auf die wichtige Aufgabe: er wird wieder der erstklassige Krauler, der aus seinem mannhaften Körper das letzte für seinen Verein herausholt.

Die Texte von Marieluise Fleißer »sind aus Volkssprache süddeutscher Prägung geformt, hart und derb, eigenwillig brüchig in der Syntax, volkstheatralisch monologisch ohne aufdringliche Wirkungsabsicht«. (*Die Tat*)

Marieluise Fleißer
Eine Zierde für den Verein

Roman vom Rauchen, Sporteln, Lieben und Verkaufen

Suhrkamp

Von den Regeln abweichende Schreibweisen wurden
auf Wunsch der Autorin übernommen
Umschlagfoto: Archiv für Kunst
und Geschichte, Berlin

suhrkamp taschenbuch 294
Erste Auflage 1975
Der Text folgt dem 2. Band »Marieluise Fleißer,
Gesammelte Werke«

Druck: Nomos Verlagsgesellschaft, Baden-Baden
Printed in Germany
Umschlag nach Entwürfen von
Willy Fleckhaus und Rolf Staudt

8 9 10 11 12 – 04 03 02

Eine Zierde für den Verein

Dies ist der vierte Tag, seitdem Gustl Gillich, Tabakwarengillich, seinen eigenen Laden am Bitteren Stein aufgemacht hat.
Vergangen sind die drei bangen Tage, in denen keiner, der nicht wirklich mußte, über seine jungfräuliche Schwelle trat.
Gustl Gillich steht hinter dem Ladentisch in seinem Sonntagsanzug mit weichen Knieen. Hat er sich überschätzt? Ist die Lage nicht gut? Hat er sich beim Vertrag hereinlegen lassen?
Fünfzehn Schritte von ihm entfernt tobt der Verkehr. Das kann doch nicht wie abgeschnitten sein.
Sie kennen sein Gesicht, jawohl. Sie kennen ihn als den langjährigen Fachmann in der Tabakwarenbranche. Es ist nicht der erste Laden, den er aufgezogen hat in der Stadt. Er hatte schon einmal Glück in der Donaustraße, eine Goldgrube schien es zu werden. Den Laden dort nahmen ihm seine Eltern ab, als der Laden lief, und er mußte es dulden als der Sohn, der das Geld von ihnen hatte. Er würde den Laden doch einmal bekommen.
Aber jetzt war er zum Mann erwacht und wollte nicht mehr darauf warten, bis sie gestorben waren.
Und sie waren keine Unmenschen, sie drückten ihm einen Schwung Geld und die Ware in die Hand, damit er sich ein zweites Mal selbständig machte.
Man darf nicht verlangen, daß die Leute nach drei Tagen einen neuen Laden mit Gewalt auskaufen wollen. Aber sie sollen ihn auch nicht schneiden. Vielleicht ist gar keine böse Absicht dabei. Was läßt sich von der entmilitarisierten Stadt mit nur neunundzwanzigtausend Einwohnern und zehn Prozent Arbeitslosen anders erwarten?
Dann sind es die Arbeitslosen, die Gustl Gillichs, des Schwimmphänomens, Knie so weich machen?
Nicht nur diese. Die Menschen sind ja Steine.

Gustls Kniee sind hinter dem Ladentisch versteckt. Sichtbar ist nur die obere Gegend des Sonntagsanzugs und auf dem kleinen eisernen Kopf sein rechtschaffenes Lächeln. Gustl lächelt rechtschaffen von sieben Uhr morgens bis sieben Uhr abends und steht dabei auf ein und demselben Fleck vor atemloser Erwartung. Er ist übertrieben bereit zum Empfang.
Sind die Menschen denn wahnsinnig, daß sie nicht hereindrängen, um sich anlächeln zu lassen? Für jeden einzeln würde er sich ja zerreißen. Besitzen sie die Schamlosigkeit überhaupt nicht einzutreten, nicht einmal mit dem Fuß?
Dann wird ihnen zur Strafe entgehn, wie Schwimmgustl in seinem Käfig steht wie angenagelt, sich gar nicht mehr hinsetzt aus einer neuen Frömmigkeit für den Handel und Wandel.
Diese Ehrerbietung vor dem abwesenden, ja vor dem imaginären Kunden ist die letzte Errungenschaft von Gustl und dazu gemacht, um Steine zu erweichen. Mag denn sein Eifer hinausstrahlen ins All, in dem nichts verlorengeht.
Oder ist es notwendig, daß er den menschenleeren Laden schon um sieben Uhr in der Früh für den säumigen Kunden bereithält?
Alles ist notwendig. Die Menschen sind Knechte auf Erden.
Vielleicht geht ein einziger vorbei und entdeckt, daß man hier früher fleißig ist als in den anderen Geschäften, und das Herz lacht ihm im Leib, er nimmt seine Zigaretten gleich hier mit. Kleinigkeiten können den Fremdling zum süchtigen Kunden erziehn.
Also strahlt Gustl seinen Willen hinaus, die magischen Wellen, fortgesetzt gibt er Kraft weg. Aber bis jetzt ist diese Kraft noch nicht wie ein Bumerang in seine Hand zurückgekehrt, sie ließ sich nicht wieder fangen. Was soll nun diese Verstocktheit heißen?
Ja, was hat man von all den blinden Ausstrahlungen? Spott und Niedertracht, die bis in die leibeigene Familie dringen. Man stößt ihn ja ab wie ein unnützes Glied.

»Seit drei Tagen bist du selbständig, mein Sohn,« sagt die Mutter herb, »bist du schon Millionär geworden?«
Durchaus nicht Millionär, es lag kein Anlaß vor zu diesem Verdacht.
»Aber einen Laden mußt du haben«, spottet die Mutter, »der so vornehm und so abgeschlossen ist wie eine Apotheke. In deinen Laden sieht man von außen überhaupt nicht hinein. Das wollen die Menschen nicht. Sie wollen einen anderen arbeiten sehn, wenn sie draußen vorbeigehn.«
So spitzfindig mag nun Gustl wieder nicht sein.
Ist denn seine Auslage für gar niemand mit edlem Holz verkleidet und mit Glas, das nicht spiegelt?
Das Holz, wird behauptet, und das nicht spiegelnde Glas machen im Laden unnötig finster.
Nun, dafür brennt man Licht. Soll ein Kunde auf die Idee kommen, daß der Ladenbesitzer am Licht sparen muß? Welcher Unsinn!
Sind die Wände für gar niemand mit dem Schwedenstoff bespannt in den abgestuften und lichten Farben? Das sollte doch alles dem Kunden dienen. Man möchte meinen, das muß den gediegenen Herrn und die gediegene Dame hereinziehn, bitte sehr, auf diesem Blau können eure Augen ruhn.
Die verruchte Doppeltür ist schuld daran.
In einen Laden muß man unmittelbar von der Straße hineinfallen, wie ist es hier? Man tritt durch die offene Haustür, man muß geradezu mit einer Winkeldrehung im Hausgang stehn, um mit suchender Hand die geschlossene Ladentür zu erreichen. Es ist nur ein Schritt, zugemutet wird er dem Kunden.
Die Menschen lernen das nicht auf einmal. Sie sind faul wie das Laster, wenn sie sich nicht beobachtet glauben.
Man hätte die verdammte Tür beim Vertrag viel stärker zur Sprache bringen, hätte darauf allein fünzig Mark von der Miete abhandeln müssen.
Aber jetzt bewegt sich die Tür, sie gibt einen Spiegel.

Den dienstbaren Geist auf den Füßen des Windes sollen seine Anhänger in ihm erkennen!
»Guten Tag, was darfs sein, bitte?«
Es ist kein Anhänger. Der Friseur von nebenan will einen Fünfzigmarkschein wechseln.
»Oh, bitte! Hier werden soviel Fünfzigmarkscheine gewechselt, als da gebracht werden!«
Schwimmgustl zieht seine Kasse auf, die alte noch aus dem vorigen Laden. Er läßt sie absichtlich offen, daß man die Scheine und das Kleingeld nur so herausquellen sieht. Dem Friseur bleibt das Wort im Halse stecken.
Die Scheine sind geliehenes Gut von seiner Mutter. Geld in der Kasse zieht fremdes Geld herbei. Diesen Rat gab sie ihm in wissender Treue. Sie meint es gut mit dem Sohn, wenn sie auch streng ist.
Der Friseur ist wohlwollend gegen den jungen Mann, der in seiner Reichweite Geschäfte gründet. Der junge Mann wird genötigt sein, sich zweimal in der Woche bei ihm rasieren zu lassen.
»Das alles haben Sie heute schon eingenommen?«
Gustl ist wie der Allwissende in seiner Voraussicht, er denkt an seine Neider.
»Alles nicht,« sagt er bescheiden. »Ich muß auch Geld zum Wechseln haben.«
Er legt den Fünfzigmarkschein auf der Kasse sichtbar beiseite, bevor er dem Friseur auf dem blanken Teller das Silber hinzählt. Ihm kann nicht passieren, daß der Kunde im Gespräch den Schein an sich zieht samt dem Silber. Es gibt Personen, die das grundsätzlich versuchen.
Gustl hat keinen im Verdacht, er kann bloß keinen ausnehmen von der Vorsicht. Es gibt Kniffe, die ein für allemal überlegt sein müssen.
Der Friseur kauft keine Zigaretten. Er hat eine alte Quelle, die jetzt scharf auf ihn aufpaßt und die er nicht vor den Kopf stoßen will.
Gustl ist wieder allein, er wird richtiggehend schwach von

der Schmach. Dann tappen kleine Hände an die Glasscheiben, davon gibt es häßliche Flecken. Einer von den Gassenbuben, welche die Elastizität des Neuen ausnützen und ihn um Greilingbildchen und leere Zigarrenkisten tyrannisieren.

Gustl weiß über die Bande aus dem letzten Laden Bescheid. Er muß den Abweisenden spielen, wenn sie nicht wie die Ameisen bei ihm ein und aus wimmeln wollen.

Das ist nicht die Sorte Kinder, der man die bunten Bildchen verehrt, weil sie an der Hand des Erwachsenen wandelt. Das ist die taube Sorte, die ihren Tauschhandel unerkannt und folgenlos unter sich ausmacht. Jede Nachgiebigkeit gegen sie würde eine ewig verschwendete Handreichung bleiben.

Gustl ist kein solcher Tor. Er scheucht das Gewürm von der Straße ja nicht mit harten Worten weg, von Scheuchen ist keine Rede.

»Hier gibt es nichts zu verschenken,« sagt er frisch, »hier wird nur verkauft.« Zwischen seinen Augen erscheint eine drohende Falte, aber seine Worte drohen nicht, sie sind bloß ein für allemal klar.

Der Junge bleibt stehn, als hätte er Wurzeln geschlagen.

»Wenn du was für deinen Vater einkaufst,« sagt Gustl noch frischer, »kannst du jederzeit wiederkommen, es gibt Zigarren, Zigaretten.«

Es ist unglaublich, was man bei den Kindern für einen festen Blick braucht. Aber Gustl ist nicht so geschaffen, daß er sich nicht als Erwachsener und bekanntes Schwimmphänomen vor den Halbwüchsigen bewährt.

Der Junge nimmt ihn langsam ernst und verschwindet.

Jetzt ist eine unglaubliche Bewegtheit in den Laden gekommen. Schon nach wenig Minuten drängt sich ein junger Mann ohne Hut über die Schwelle, sie wird schon schmutzig, ein öffentlicher Ort.

Gustl erbleicht nicht. Er schluckt den Widerwillen hinunter über den familiären Ton, der jetzt von ihm verlangt wird.

Er sagt: »Guten Tag, Minze.«

»Draußen hat einer hingespuckt,« sagt Minze sofort, Minze, der vom Leben das Häßliche sieht.
Muß da nicht Gustl vor seinen Augen mit dem Lappen wandeln, um die Schaufensterscheibe makellos zu erhalten?
Minze ist der Sohn von Gustls Hausherrn. Sein Prestige erfordert, daß er drei Gelbe Sorte kauft. Eine zündet er sogleich an. Dafür brennt nun im vornehmen Anzünder den ganzen Tag die kleine blaue Flamme.
»Es wird zu kalt jetzt am Abend,« rückt Minze heraus. »Die Haustür muß geschlossen bleiben, damit die Wasserleitung hinten nicht einfriert.«
Gustl sträubt sich das Haar auf dem Kopf.
»Du meinst die Hoftür. Aber die Hoftür ist schon geschlossen.«
»Eben,« sagt Minze. »Und wenn die Haustür auch noch geschlossen wird, dann wird es im Gang nicht so kalt. Das ist ein großer Vorteil für das Haus.«
Da verliert Gustl denn doch seine Geschäftsgründermiene.
»Soll ich noch zusperren,« sagt er, »damit meine Kunden ganz ausgesperrt sind? Was? Zumachen? Nimmst du zweihundertunddreißig Mark für den kleinen verwinkelten Laden in der nicht einmal so günstigen Lage, wenn du eine abgesperrte Wohnung daraus machen willst? Du siehst doch, daß keine Seele sich auf dieser Straßenseite ergeht. Alle treten sich am jenseitigen Trottoir die Füße ab, und du unterstehst dich, das eine Lage zu nennen, wo wir wissen, daß die Menschen Gewohnheitstiere sind, trotzdem drei der stärksten Lampen in meinem Fenster erstrahlen. Was? Zumachen? Gleich ganz aushängen werde ich deine verrückte Tür!«
Minze war ein Schulkamerad, durchaus nicht sein liebster, darum muß Gustl keine Umstände machen. Er darf ihm Sätze mit einem Rufezeichen an den Kopf werfen.
Aber Minze ist auch der Sohn seines Haus- und Ladenvaters. Darum kann er ihn nicht laut einen Auswurf der Menschheit nennen.

Es ist keine Kleinigkeit für den Ladenmieter, den richtigen Ton zu treffen.
Minze von der Gegenseite schweigt.
Er hat nichts Erhebendes an sich, wie er seine Gelbe Sorte raucht. Er läßt auch nicht in sich hineinsehn. Weiß Gott, vielleicht hat er wegen der Tür nicht einmal die Ermächtigung von seinem Vater. Vielleicht muß er bloß hier im Vorbeigehn seine Berufung zum blutsaugenden unter den Tieren erfüllen.
Vielleicht hat er insgeheim doch die Ermächtigung, darf es aber nicht durchblicken lassen.
Minze ist unergründlich.
Von allen in der Klasse war er mir am unangenehmsten, denkt Gustl. Ausgerechnet der muß mein Hausherr werden.
»Im Vertrag steht nichts davon, daß die Haustür offenbleiben muß,« sagt Minze. »Das hast du vergessen hineinzusetzen.«
Gustl wird es schwarz vor den Augen, er kann sich nicht ausdrücken.
Gustl sagt: »Sei du kein Idiot.«
Er will sich im Ton nicht vergreifen.
»Wenn die Haustür geschlossen wird, ist dein sogenannter Laden kein Laden mehr. Dann darfst du nur Wohnungsmiete verlangen, und ich werde sie einklagen.«
Worauf Minze geheimnisvoll wird und verschwindet.
Er macht die Haustür nicht zu hinter sich, er hat noch soviel Verstand, um das zu unterlassen.
Die erste Häßlichkeit und Gewalt zwischen den Vertragspartnern ist abgeprallt an Gustl.
Es ist keine Kleinigkeit für Minze, er geht dahin und krankt an der Leere.
Mit den früheren Mietern hat seine Familie prozessiert. Sie hat sich daran gewöhnt, den Geist der Unbotmäßigkeit und Widerspenstigkeit in dem kleinen Laden zu suchen. Sie hat es noch nicht erfaßt, daß auf die Periode der Verfeindung

und der Schikanen eine Periode der Nachsicht folgen muß oder sie gerät in Verruf.
War es nicht fast leichter zu tragen, als man noch nach Laune verbieten und sich gehen lassen konnte?
Dafür zahlt der junge Gillich hundert Mark mehr wie der letzte, so was bändigt die Feindschaft und geht ins Gemüt.
Ein Herr mit Mappe fällt beim jungen Gillich hinein, er begehrt eine Zigarre von Loeser und Wolff. Er muß fremd sein, Gustl kennt ihn nicht vom Sehn.
Die fremden Blicke wandern von der Wandbespannung zum gußeisernen Köpfchen des beliebten Schwimmers. Er denkt, die Bespannung ist nicht in diesem Kopf gewachsen.
»Die Zigarre ist ja feucht,« sagt er plötzlich. »Die Zigarre war nicht fachmännisch gelagert.«
Gustl möchte in den Erdboden versinken.
Er weiß besser als der fremde Herr, daß eine Sendung Zigarren angezogen hat, als sie bei der großen Übersiedlung vorübergehend im Hausgang der Eltern stand. In dem Gang zieht es wie in einem Kamin.
»Stellt mir die Zigarren bloß nicht auf den Gang,« hat er gesagt, »ich bin gleich wieder zurück.« Er kann sich auch nicht zerreißen.
Ach, er hatte seine Augen nicht dort, das Ergebnis lag hier.
Die Kisten stehen im Weg herum, die Mutter wünscht dem Sohn alles Gute für seinen Aufstieg, nur einengen läßt sie sich nicht.
»Hinaus mit den Zigarren,« kommandiert die Mutter. »Die stehen mir da draußen gut.«
Gustl hätte am liebsten geheult, als er zurückkam, so unnötig erschwert man ihm sein Leben.
Jetzt heizt er im Hinterraum, um die Zigarren in Form zu bringen. Er muß direkt froh sein, wenn solang keiner kommt, der was vom Rauchen versteht.
Gustl hat keine Ladenuhr, er darf nicht über die Zeit offen lassen, seine Neider sehen ihm auf die Finger.
Er fegt auf der Straße, wo das Friseurbecken klappert, bis

zur nächsten Uhr. Fünf Minuten nach sieben. Beinahe verpaßt. Er muß sich doch noch vom Uhrmacher drüben eine genehmigen und ihn zur Kundschaft auf ewig verpflichten.
Gustl schließt seinen Laden. Er lehnt die Haustüre an und löscht die Beleuchtung seiner Auslage bis auf die mittlere Lampe. Mehr kann er nicht dafür tun. Er muß sich noch privat in seinem Laden aufhalten und auf jemand warten.
Zwei Landespolizisten stecken den Kopf herein. »Hier ist noch Licht,« sagt der eine.
»Ich werde wohl nicht im finstern abrechnen müssen,« pariert ihm Gustl.
Nun kann er der Landespolizei gleich erklären, wie das aussieht, wenn sein Laden geschlossen ist. Die Landespolizei kann darin keinen hermetischen Verschluß erblicken.
»Die Haustür muß zugesperrt sein,« sagt sie.
»Wo steht das aufgeschrieben, daß Häuser um sieben Uhr zugesperrt sein müssen? Habt ihr vielleicht einen bei mir getroffen, der kauft?«
Nein, das haben sie nicht.
Die Landespolizei ist umgänglich gegen Gustl, sie kennt ihn vom Schwimmen. Aber auf ihr lastet die Verantwortung und der Dienst.
Darf Gustl sagen: »Rauchen wir alle zusammen eine Zigarette?« Das darf er nicht, wenn sie im Dienst sind.
»Mach keine Dummheiten, dann müssen wir dich nicht fassen,« sagen sie ihm.
Gustl legt sich das so aus, daß er es nicht auffällig machen darf.
»Der Rih will wissen, ob du heut am Plan bist,« rufen sie im Weggehn.
Der Plan ist das Sportgelände seines Vereins.
Am Plan? Es ist Freitag, doch Gustl steht der Magen nicht nach einem Training.
Er weiß eine, die schuld ist daran, daß er nicht mehr regelmäßig auf den Plan geht. Sie heißt Frieda Geier und hat einen Mantel wie diesen, auf den seine Augen fallen.

»Onkel Grausam!« sagt Frieda bloß und bleibt in einiger Entfernung von ihm stehn, die Hände in ihrem unmenschlich langen Herrenmantel vergraben.
»Laß doch die Tür nach dem Hinterraum nicht so halboffen stehn. Die Kisten dahinten sehn ja schauerlich aus.«
Onkel Grausam oder Gustl schließt hocherfreut die Tür und verkündet: »Ich bekomme für die Kisten noch eine Stellage.«
Aber »Onkel Grausam« heißt: der Teufel soll mich holen, wenn ich ohne dich sein kann.
»Laß dich ansehn,« sagt Frieda. »Dein Haar sieht wieder aus, als hätten die Mäuse es abgebissen.«
Der beliebte Krauler glänzt über das ganze Gesicht, als hätte sie ihn gestreichelt.
»Die Farben werden mir doch nicht nachlassen,« sagt Gustl und macht Konversation über seine Wand, weil ja Frieda sie ausgesucht hat.
»Es ist Indanthren,« sagt Frieda großartig.
Dann wird es ein Schweigen.
Frieda will nicht länger hier drinnen stehn. Das sieht ja aus, als ob sie sich ein Rendezvous in seinem Laden geben.
»Geben wir uns denn kein Rendezvous?« fragt Gustl schlicht.
Treu ist der Gustl, das muß man sagen!
»Aber doch nicht in deinem Laden. Ich begreife nicht, daß du nicht den Unterschied siehst.«
Gustl seufzt und lernt den Unterschied sehn. Er beschließt auf den Wall zu gehn. Er birgt das Geld an seiner Brust in einer strammen ledernen Katze. Bevor er absperrt, schaltet er in seiner Auslage für die Nachtgänger die große Beleuchtung ein.
Sie gehn durch eine patrizische Wohnstraße mit zackigen Giebeln, die hinter dem ehemaligen Kaufhaus Ponschab geschäftlich tot ist.
Die altroten Türme der Oberen Stadtpfarrkirche zur Schönen Unserer Lieben Frau stehn wie abgebunden unter metallischen Zwiebelhauben.

Die Kirche wurde von Ludwig dem Gebarteten, als ihn sein Sohn noch nicht gefangenhielt, zur Buße für seine Sünden erbaut. Die junge Schwester hatte er stützen sollen am französischen Hof, wo sie mit dem wahnsinnigen König verheiratet war. Sie tanzte auf Feuer am Hof, sie schlief nur noch in Angst, gegen sie war der Adel verschworen. Dem Bruder gab sie Schätze mit, daß er sie über die Grenze in Sicherheit brachte, ein Goldenes Rössel darunter. Einmal in Bayern gab der stolze Bruder die Schätze nicht wieder her.
Die Böse Isabeau, selbst der Bruder hatte sie ganz schön ausgesogen.
Etwas stimmte nicht mit der Familie, sie handelte unter Zwängen.
Die Türme waren noch einmal so hoch geplant, als man sie kappte, weil der Gebartete in seinem Gefängnis inzwischen gestorben war. Seitdem mußte die Kirche, die in den Himmel hinaufreißen sollte, als riesige Henne über den Schützlingen am Boden kauern.
Geheimnis und Amerika liegen dicht nebeneinander.
Links gegenüber ist der Würfel der Alten Post so giftig gelb angestrichen, daß der tägliche Himmel darüber bleiern aussieht.
So muß es in Amerika sein, hat sich Frieda schon als Kind eingebildet.
Hinter dem Kreuztor bleiben sie auf der Straße, die kerzengerade zum Friedhof führt, stehn. Die kriegsgefangenen Franzosen haben sie einmal begradigt.
»Links schwenkt ab nach dem Wall,« kommandiert Gustl verhalten.
Der schwarze Stadtwall mit seinen Bänken liegt nicht so schlafend da, wie man von unten annehmen möchte.
»Besetzt,« spricht Gustl, wenn er von der nächsten Bank das Zigarettenpünktchen glimmen sieht.
Frieda und Gustl schlagen den Kragen hoch. Es gibt weibliche Wesen, die auch im Liebesspiel den Dingen der Welt genügend offen bleiben, um die späten Spaziergänger vom Sehn zu erkennen.

Spät heißt hier soviel, daß schon das Gebetläuten vorbei ist.
»Drüben wird es einsamer,« hofft Gustl und überschreitet auf der einzigen Holzbrücke den mit dunklem Wasser gefüllten Festungsgraben.
In der Mitte besagt eine Tafel, daß die Brücke dann und dann errichtet wurde von den Pionieren aus Küstrin, das ist noch gar nicht so lange her.
Gustl hat bei der Tafel seine eigenen Gedanken, er stößt Frieda an.
Drüben weiß er neben dem Wasser einen vom Hauptweg abgezweigten kurzen Laubenweg mit ein paar Bänken.
Gustl hat Glück, die erste Bank wird soeben frei. Er kann Frieda veranlassen sich doch ein wenig zu setzen.
Frieda verändert den Kragen wieder. Sie hat einen abwesenden Blick, als ob sie nach innen horchte. Das Gezweig der Büsche, durch das die Sterne in Scherben stechen, stürzt über ihre Köpfe weg nach dem Wasser hinunter wie eine umgestülpte Wiege.
Tiefer im Rücken haben sie den Windgesang der hohen Bäume.
Seitlich schwingt die Wiese abschüssig hinab, auf der im Frühjahr erste Krokusse blühn und dann will bis zum Herbst der nach Farben gestufte Blumenwechsel nicht abreißen. Der Stadtgärtner gibt sich viel Mühe mit der freien Wiese.
Von Zeit zu Zeit hört man unten einen Fall ins Wasser und zorniges Plätschern.
»Das sind die Ratten,« sagt Gustl.
Seine Finger sind kurz und derb und riechen nach Tabak, sie nehmen was Leichtes an, als er ihre Hand faßt. Seine Miene verklärt sich zusehends, er wirft sogar die halb angerauchte Zigarette weg. Gleich wird er anfangen zu schweben.
Frieda sieht nicht danach aus, als ob sie schwebte. Was ist heute mit Frieda los?
Wenn sie sitzt, steht ihr Mantel in einem Spalt auf, die Kälte zieht ihr an die Beine. Frieda steht noch einmal auf und

wickelt sich den langen Mantel eng um die Waden, sie darf sich nicht bewegen.
Soll das nun das Liebesleben von Gustl im Februar sein?
»Du mußt mich verstehen,« sagt Frieda.
Gustl versteht alles an ihr. Es ist keine Kleinigkeit, um die Jahreszeit stundenlang im Freien zu sitzen, bloß um seine werte Gesellschaft zu teilen.
Gustl ist abgehärtet, bei ihm ist das anders. Im März wird er das Eis aufhacken, der Irre, damit er im Winterwasser eine Schau geben kann, er verlangt keinen Eintritt dafür. Er schnellt sich im Nassen wie ein Fisch, wenn andere Uferbewohner nach Luft schnappen vor Kälte. Krebsrot steigt er vor ihren staunenden Augen heraus, höhnt ihnen ins Gesicht mit der nackten Haut.
Er ist nicht wie die Jugendlichen verpimpelt. Mit Willen hat er seinen Körper gefühllos gemacht.
So gewalttätig darf er mit Frieda nicht umgehn, das weiß er.
»Hast du doch feste Schuhe an?« fragt er besorgt.
Frieda: »Die langen.«
Gustl: »Kein Mensch weiß, warum du dir die gekauft hast. Das sind doch Schuhe für einen Herrn.«
»Das verstehst du wieder nicht, die kommen jetzt auf. In der Großstadt hat man sie schon an.«
»Ja,« sagt Gustl. »Aber sieht es nicht aus, als ob du sogleich darin Shimmy tanzen müßtest?«
Die gejagte Frieda schlägt einen Haken: »Wer sieht mich denn hier damit?«
Ho! Das dürfte sie nicht in den Mund nehmen, daß sie hier niemand Wichtiger sieht. Sie gerät sonst in den Verdacht, daß sie an keinem Menschen in der Stadt wahnsinnig hängt.
»So darfst du das nicht auffassen,« sagt Frieda.
»Von dir weiß ich, daß ich dir was bin, ganz gleich, was ich anhabe.«
Über Schwimmgustls Gesicht läuft eine Stärke und ein Schein. Da hatte sie nun in einem einfachen Gleichnis von

seiner wahren Liebe gesprochen. Darauf muß er sofort eine Zigarette anzünden, er kann es nicht lassen.
Das waren feste Verhältnisse, als der holde Irrsinn seinen Anfang nahm, der reine Hagestolz war er gewesen. Er hatte die Weiber abgeschrieben zu den Jahreszeiten, wenn ein Schwimmwasser war, ein langes Wasser fürs Training, bei dem man seine achttausend Meter drin bleiben kann.
Hätte die Stadt ein Hallenbad gehabt, täten ihm die Weiber auch im Winter nicht viel, höchstens legte er sie einmal kurz in den Schnee. Keine konnte sich bei ihm halten.
Dann hatte es ihn doch erwischt.
Frieda kann mit dem Fuß auf eine bestimmte Stelle am Ufer treten und sagen, hier lernten wir uns kennen. Der Holzsteg, der schon vom Regen eisengrau dasteht, wurde damals gebaut. Wir schauten zu zwischen zehn und elf Uhr nachts. Du strittest mit dem jungen Pionier, der den Scheinwerfer bediente und der sich in den Pausen vor uns auf die Kiste setzte.
So genau kann Frieda alles sagen.
Im Anfang war Gustl gar nicht so wild darauf und hatte von sich gestoßen, woran er hinterher sich verlor.
Er freut sich heut noch darüber, daß er sich nicht gleich kopfüber ergab.
Er hatte hingelangt in seinem Vorwitz und war sich bei seinem Tun über die Tragkraft nicht klar. Es würde werden wie immer. Da hatte die lange Hand nach ihm gegriffen und hatte ihn eisern gefischt. In den Sternen stand es geschrieben.
Wer war denn nun eigentlich wild?
Frieda gewiß nicht.

Kopfüber war anders, und so fing die Liebe an:
Ein Mann tritt nahe an das Ufer heran und schaut den Pionieren zu. Sein Haar steht aufrecht über der niederen Stirn wie ein geschorener Teppich. Eine sonderbare Düsternis spreitet sich in seinen Zügen, der männliche Ernst.

Er verwickelt den Pionier, der vor ihm auf der Kiste sitzt, in ein Dauergespräch.
Man hat bei einer Flußübung einen Soldaten, der mit dem Fuß im Ankertau hängen blieb, elend versaufen lassen. Der schwere Anker hatte ihn in die Tiefe gerissen, und selber konnte er sich vom Seil nicht befreien. Der Mann weiß es von einem Spezl, der Augenzeuge war.
Der Pionier auf der Kiste kann gegen die kochende Volksseele nichts unternehmen.
»Befehl ist Befehl,« sagt er knapp. »Der Wellengang war zu stark. Man hätte nur andere Menschenleben gefährdet.«
»Wo es eine Kleinigkeit war, ihn zu retten,« schimpft unser Mann weiter. »Ihr brauchtet ihn nicht einmal zu suchen. Ihr konntet euch auf dem kürzesten Weg am gespannten Seil zu ihm hinunterziehn. Statt dessen kappt ihr das Seil.«
Das hat er schon dreimal gesagt, alle Umstehenden haben es zur Genüge gehört. Immer wieder kommt er darauf zurück.
Der Mann bleibt auch auf dem engen Boden seiner vorgefaßten Meinungen kleben, denkt ein Fräulein nebenan. Er kommt davon nicht los.
Das Fräulein hat den ganzen Abend noch kein Wort gesagt. Die Soldaten haben keine Annäherungsversuche an sie gemacht. Ihre Blicke sind nicht weiblich. Sie wandern von einem zum anderen, ungerührt.
Was hat sie für eine Absicht? Kann es das geben, daß ein weibliches Wesen hier stundenlang aushält, bloß um seine Beobachtungen zu machen?
Sie trägt eine schwarze Lederjacke und abgeschnittenes Haar.
Der Mann dünkt sich berufen von Ertrunkenen zu sprechen, es stellt sich mittlerweile heraus. Das kann sein Begleiter für ihn erklären.
Der Mann hat bereits sechzehn Personen vom Ertrinken gerettet. Er ist ein Schwimmer und Retter.
Es ist der bekannte Krauler, den sein Verein in entfernte

Städte entsendet. Erst neulich war wieder was in der Zeitung.
Ist das Messer der Erkenntnis durch die Luft gefallen? Hat es endlich geschnitten?
Das Fräulein schickt einen flüchtigen Blick nach ihm hin, dann blickt sie vorsätzlich weg. Nichts mehr von Messern. Hartnäckige Bosheit.
Nun hat der Gillich sechzehn Personen das Leben gerettet und erwartet von sich, daß er ein Draufgänger ist. Was kann passieren, wenn er sie anspricht?
»Fräulein,« sagt er gaumig rauh. »Wenn Sie sich dafür interessieren, nehme ich Sie in meinen Kahn, wir fahren auf dem Wasser dicht an die Arbeit heran.«
Ist das nicht die reinste Prostitution von keimenden Wünschen? Seht, wie die Umstehenden aufhorchen und mit den Blicken an dem Fräulein zerren! Er hat sie ja aus stundenlanger Nichtbeachtung heraus geradezu überfallen.
Was wird sie tun?
Das Fräulein macht es ganz unverfänglich.
»Nicht schlecht. Wen nehmen Sie außer mir mit?«
Als sei sie ohne den Dritten überhaupt nicht bereit.
Lebt er in einem Wachtraum? Kann die bloße Wißbegierde sich so radikal benehmen? Noch nie gab die Frau dem Mann so unverhüllt zu verstehen, daß er für sie das Mittel zu einem anderen Zweck war.
»Gehn wir,« sagt er beleidigt. »Kommst du mit, Raupe?«
Sie schreiten zu dritt das nächtige Ufer entlang in der Richtung Plan.
»Wartet hier,« sagt der Mann an der offenen Schwärze einer Lichtung, »ich muß das Boot erst holen. Ich schwimme hinunter.«
Der Begleiter ergeht sich inzwischen mit dem Fräulein in einiger Entfernung.
Ist er auch einer vom Plan?
Gewiß, wenn auch keine Größe. Die Kameraden nennen ihn Raupe.

Sie geht da mit einem Fremden im finstern, sie möchte nicht lang mit ihm gehn. Sie hat sich sein Gesicht gut angesehn, solang es noch im Licht war. Alle Näherstehenden kamen unter die Hechel ihrer Blicke. Er ist ein langer lederner Lulatsch. Die wüste Schrift der Verlebtheit steht auf seinem Gesicht; ohne sie wäre es noch lederner. Aber sie kann die Leere nicht ganz verwischen; sie hat ihre Bestimmung schlecht erfüllt. Nicht einmal das unstete Leben konnte die innere Langeweile vertilgen bei diesem Menschen.
Er unterhält ein vorsichtiges Gespräch mit dem Fräulein, das nicht genannt sein will. Er betrachtet sie nicht als sein Revier. Dann treibt ihn ein Satan.
»Wir können wieder hinuntergehn,« sagt er und führt sie dicht an die Anlegestelle am Wasser. Man hört schon ein Plätschern.
Das Boot kommt.
Nun entsteht eine seltsame Lautlosigkeit.
Der Mann im Boot hält inne und wartet. Das Fräulein, das etwas kurzsichtig ist, denkt wohl, das muß so sein. Sie kommt nicht entfernt auf die Idee, daß etwas von ihr verlangt wird, nämlich von der Stelle zu weichen.
Die Stockung, was auch die Ursache war, ist schon überwunden. Denn jetzt treibt das Boot unter machtvollen Schlägen dicht an das Ufer heran.
»Hast du doch eine Badehose angezogen?« ruft wie in plötzlicher Eingebung Raupe und reinigt sein Gewissen.
»Nein,« sagt der Mann im Boot verstockt.
Da wollte wohl Raupe so ganz von ungefähr die Rolle der Schlange spielen.
Der nackte Mann tritt mit einem Satz auf das Land herüber, und das Fräulein will vielleicht, nachdem es zu spät ist, keine halben Sachen unternehmen. Da steht sie am Ufer und blickt in sich hinein. Das ist alles, was sie zum Augenblick beitragen kann.
Der Mann findet die Großartigkeit, mit der sie ihn überhaupt nicht ansieht, übertrieben.

Warum zum Henker bleibt sie denn dann noch stehn und läßt einen sein Hemd nicht in Ruhe anziehn? Worauf wird sie schon aussein, wenn sie stehnbleibt wie angenagelt?
Ach, das Fräulein ist bloß eigensinnig geworden, als es die Niedertracht von Raupe erkannte. Sie hätte einen Eisenbahnzug über sich wegfahren lassen, ohne sich von der Stelle zu rühren.
Raupe hat sich bereits diskret zurückgezogen. Das wirkt auf den Mann wie ein Signal. Er läßt sein Hemd, das er bereits erfaßt hat, auf den Kleiderhaufen zurücksinken und tritt noch dampfend vom Wasser zur Umarmung an sie heran. Er ist wie Tau, mit lebendigen Pulsen haftend und fleischlich.
»Sie ziehn sich augenblicklich an,« sagt das Fräulein in einem Ton, daß der Mann den Ernst spürt und knatternd in seine Kleider fährt.
In der Lichtung wird kein Wort mehr gesprochen.
Jetzt kennt er sich überhaupt nicht mehr aus mit der Frau.
Hat sie nicht einen gottverlassenen Stolz an sich, als sage sie, wann ich verführt werde, das bestimme ich allein? Dazu muß sie sich aber dann einen anderen suchen. Die Welt wird nicht länger bestehn, wenn sich solche selbständige Gesinnung unter den Frauen verbreitet.
Raupe, das Kamel, hat sich ausgerechnet entfernen müssen.
Raupe, das Kamel, ist bereits informiert und schon wieder zurück. Er ist wohl unmittelbar nebenan im Gebüsch gestanden, um so schlimmer. Der Mann wird sich ihm nicht übermäßig dankbar dafür erzeigen, daß er die böse Gelegenheit herbeigeführt hat.
»Sollen wir überhaupt noch fahren?« fragt er das Fräulein kurz und gebeugt von seiner Niederlage.
Nicht mehr mit ihr. Sie kann sich nicht auf ihn verlassen.
Dann verschwinde, Satan!
Geknickt schaut er ihr nach, wie sie sich über die Lichtung verliert. Er hat sich geärgert, das ist wahr. Er kann nicht einmal pinkeln.

Die Gans bildet sich hoffentlich nicht ein, daß er an ihr ein spezielles Interesse nahm. Da müßte er sie nämlich enttäuschen. Sie war der bloße Vorwand für ihn um unauffällig die Gegebenheiten auszukundschaften, nicht wahr, Raupe?

Für Vereinszwecke war er als ein gerissener Kundschafter da. Er wartet nur, bis sich die Pioniere entfernen. Er hat es abgesehen auf das Brückenholz, das am Uferrand liegt neben dem begonnenen Steg und das in der Nacht nicht bewacht wird. Das Holz war schon gestern nacht nicht bewacht. Nur waren sie da noch nicht vorbereitet.
Das werte Holz war bloß gesichert durch sein Gewicht. Als wäre für starke Männer da nichts zu machen!
Schwimmgustl macht sich ganz ohne Reue stark. Er greift seinem hungrigen Sportverein unter den Arm. Da hat der gute Zweck ihn im voraus schon gereinigt. Er tut es für seinen Popanz, den Sport.
Auch er hat organisieren gelernt im Vierzehnerkrieg. »Schaut das Buberl!« haben sie bei seinem Abmarsch gerufen, so kindisch schaute er unter seinem Helm vor in der Kolonne. Aber das Buberl hat schon gar viel tun müssen beim Militär und schon gar früh. Da wurde das Buberl keck. Das haben sie jetzt davon. Beim Militär weiß sich einer zu helfen.
Nur seine Spezln durfte er zu Mitwissern machen.
Der seltsame Dieb stiehlt einen Haufen freiwillige Arbeit, die für ihn daraus entsteht, für die Kameraden genau so, uneigennützige Überstunden auf viele lange Wochen hinaus, alles für einen Verein, der es nicht dankt und der sich nichts denkt.
Schwimmgustl wird schuften müssen, er wird vom Fleisch fallen für sein Idol. Die Spezln müssen es leiden mit ihm. So müssen eben alle was stiften.
Anders können sie es nicht machen. Der halbverfaulte Steg bricht ihnen ja vom bloßen Fußabdruck schon zusammen. Jedes einzelne Brett wird zum tückisch schnappenden Maul, die Glieder bleiben einem schon nicht mehr heil in dem

Maul, knack, macht es, so ein dummer Fuß ist gleich gebrochen.
An Schwimmgustl wird es nicht liegen und Schwimmgustl soll es nicht reun. Dann soll es auch die Wehrmacht nicht reun. Die Stadt, die das Holz zahlen muß, soll es nicht reun. Die Großen werden dann schon miteinander fertig.
Dann haut es doch einmal hin. Junge Menschen ohne Scheuklappen machen das eben hinten herum und ganz ohne den Stadtrat, der ja doch nur die Hand auf der Tasche hält, wenn man was von ihm braucht.
Schwimmgustl hat seine Augen überall gehabt, damit es schnell geht in der Nacht. Kommt der ganze Stoß doch nicht ins Rollen, schlägt einem zum Dank noch das Kreuz ab? Sie dürfen keine Kunststücke machen. Stamm nach Stamm müssen sie sauber ins Wasser heben, dann Fischlein, schwimm! Oder laß dich stoßen, bist du kein Fisch.
Und wohin mit dem Holz, wenn sie es haben? Das Holz wird man suchen. Die Stämme sind gezeichnet wie Vieh. Jeder Balken ist für sich allein ein Beweis. Man birgt es an der Mauer im tiefen Wasser, der Steg wirft seinen Schatten darüber. Nach und nach holen sie es dann herauf.
In der Nacht gleiten vorsichtige Schwimmer durch den Künettegraben, schieben sich lautlos an die Baustelle heran. Sie sehen das bleiche Gerüst von unten herauf.
Die halbfertige Brücke hält wie ein Skelett einen anklagenden Arm in die Luft, noch einen Arm und mehr, hat das Auge sich erst gewöhnt. Es ist eine gen Himmel ringende Gesellschaft.
Von den Wolken weint ein rinnender Regen auf die Sünde herunter.
Junge Menschen machen sich nichts daraus.
Der Regen ist für die verlassene Gegend gut, für die Balken nicht gut, sie schlüpfen. Ein Massel, wenn es nicht auf den Fuß geht.
Beim Fluchen werden sie lauter, als sich mit der Heimlichkeit verträgt. Dafür haben sie im Busch einen jungen Aufpasser

versteckt, der den Fußweg hinauf und hinunter die Ohren lang macht, als könne er damit werfen.
Keine lausige Seele ist um den Weg. Von der Donau her, vom Friedhof naht keiner. Von hier ist es bis zur alten Stadtmauer weit, wo hinter Kummerlöchern die nächsten Anwohner schlafen.
Sie lassen der Wehrmacht schon noch was zurück, daß sie nicht weint. Jetzt haben sie alle geplanten Balken im Wasser.
Wachsam stoßen die Schwimmer ihr bockiges Lebewesen vor der Brust. Der Balken lebt und will aus dem Griff, er sucht sich tückisch zu drehn. Der Balken hilft zum Militär. Man darf ihn nur nicht lassen.
Das schwarze Wasser schüttet unsichtbar machende Tinte darüber. Das Wasser überführt seinen Mann nicht, behält nicht die Spur, nicht einmal den Geruch. Das Wasser schmatzt ungerührt, verschluckt den Beweis.
Die Männer grätschen behend, ihren persönlichen Balken im Arm, den sie lenken und hätscheln. Sie tauchen ihren persönlichen Balken unter der Abgrenzung durch am Plan. Am sicheren Ort knurren sie ihn endgültig an, als sprächen sie ihren Segen darüber. Das tiefe Wasser unter dem Seitensteg an der Mauer muß alles Holz verdrücken so nach und nach.
Einmal versunken wird jeder Balken ein Tabu.
Es geht noch oft hin und her zwischen dem Steg und dem Plan. Da wird keiner matt von den Brüdern und da wird keiner faul. Die Nacht ist nur heut.
Wahnsinnige riskieren es eben.
Zuletzt rauchen sie alle zusammen eine verschworene Zigarette, was eine Ausnahme ist. Sie haben was ausgefressen, was man lieber vergißt. Da wird einer dem anderen vertrauen. Da wird keiner was läuten, denn wo kämen sie hin?
Von ihrem Aufpasser hören sie es freistehend an, sie sind überhaupt nicht beobachtet worden. Der Fall wächst sich nicht aus, unberufen.

Sie werden vor Hingabe schwitzen. In zahllosen Überstunden stellen sie den Sprungsteg selber her, den neuen Laufsteg, die Leitern. Sie atmen endgültig auf. Das mit dem Holz ist ihnen hinausgegangen.
Alles macht sich natürlich.
Der Gillich kennt keine Seitensprünge im Sommer. Im Winter nimmt er das mit, was ihm in die Hand wächst. Nur nirgends hängen bleiben!
Ganz leise lökt ein Stachel in ihm. Er sieht das Fräulein nirgends laufen. Sie ist wohl nicht hier oder geht nicht aus, wird vielleicht von keiner Einsamkeit zu extravaganten Spaziergängen getrieben. Sie wird schon nicht die Lebedame sein, für die er sie einmal hielt.
Übrigens weiß er inzwischen den Namen.
Das muß schon ein stürmischer Januarabend werden, bis das Fräulein am Brückenkopf vorbei das Donau-Ufer hinaufstreicht, als triebe angeborene Ruhelosigkeit sie dahin.
Das ist kein Wetter für Bekanntschaften. In zerrissenen eilenden Lachen schiebt sich der Fluß an ihr vorüber. Er sieht gefährlich aus, die Wolken darüberhin sind gefleckt, die Fluten zertrümmert vom Wind, als wollten sie einen erschlagen.
Das Fräulein ist die einzige, die hier geht und die faszinierten Augen nicht vom Wasser abwendet.
Wenn ich hier hineinspringe, denkt sie, werde ich im Nu bis zur Eisenbahnbrücke hinuntergetragen. Aber ob ich bei der Eisenbahnbrücke schon tot bin? Schon brauche ich nichts mehr zu wissen.
Ob sie bei der Eisenbahnbrücke schon tot ist oder ganze Kilometer dahinter, das Fräulein sollte lieber nicht mit dem Gedanken spielen.
Sie ist über den Bereich der trüben Laternen am Luitpoldpark hinaus, als wäre sie auf der Flucht vor sich selbst.
Von den nackten Bäumen tropft das Schmelzwasser hart. Aller Schnee läuft davon. Der Winter hält nicht die Zeit ein. Das Fräulein wird nur an den Beinen naß, sie hat eine Lederjacke.

Ein Pferd, denkt sie plötzlich, ein Reitpferd um diese Zeit. Das Traben hört auf, wenn sie stehenbleibt, setzt sich, wenn sie weitergeht, gleich wieder in Bewegung, es klopft ihr nach.
Aber das ist kein Pferd, jetzt hört sie es deutlich.
Jemand, der es auf sie abgesehen hat, läuft mit Klumpfüßen unten auf der Wiese neben dem Weg her. Jetzt überholt er sie, dreht sich um und späht ihr von unten ins Gesicht. In jagenden Sätzen springt er die Böschung hinauf.
Ein Unhold will sie überfallen.
Nun hätte das dem Fräulein bei dem, was sie wahrscheinlich vorhatte, egal sein können.
Eine fegende Hand fährt ihr durch den Magen. Sie rennt zurück nach der Stadt, die Lunge möchte ihr platzen.
Hatte sie nicht schon die Flußwirbel beschworen, als schriebe sie ihren eigenen Tod da hinein?
Sie läßt sich nicht von einem anderen in die reißende Donau schmeißen. Wenn sie es selber tut, ist das ganz was anderes.
Das ist doch lächerlich. Ein Mensch, der schon abgeschlossen hat, sollte nicht solche atemlose Angst um sein Leben haben.
Von den Häusern der Fremdenkolonie bellt ein Hund. Sie läuft vorbei an der Blechrotunde, wo eine triste Laterne steht. Da ist der Brückenkopf, überhelles Licht für ihre Augen.
Vereinzelte Fußgänger. Eiserne Ketten, die den Radler vor dem Abhang zum Wasser warnen. Ein Meilenstein. Das Fräulein sinkt erschöpft darauf nieder. Hier kann nichts mehr passieren.
Nun muß der Verfolger, wenn er dafür einsteht, erkennbar in den Lichtkreis treten.
Ein Mann tritt in den Lichtkreis und bleibt so nah vor ihr stehn, als ob er ihr, wenn sie sich erhebt, ein Bein stellen wollte.
»Guten Abend,« spricht es völlig unsinnig aus ihm heraus.
Was heißt hier guten Abend? Seit wann ist er ein Mensch?

»Was haben Sie denn, Fräulein Geier? Warum laufen Sie so vor mir davon?«
»Der Gillich!« Das Herz klopft ihr in den Hals.
»Noch immer.«
Frieda hat sonst nicht dies schrille Lachen.
»Sie wollen sich doch nicht an einem solchen Abend ersäufen?«
»Wie eine Katze. Sie werden lachen.«
»Das geht doch nicht. Ich hätte das Nachsehn.«
»Hier von der Brücke werde ich springen.« Sie fühlt sich gestachelt.
»Doch nicht von der Brücke. Wo Sie es unten niedriger haben.«
»Nein, denn Sie zögen mich raus.«
»Ich zöge Sie auch von der Brücke heraus. Da hinunter bin ich schon öfter gesprungen.«
Da gibt sie auf. Im überwachen Licht der nahen Lampen sehen die Beiden sich in die Augen, die sie künstlich starr erhalten.
»Warum gehen Sie nicht auf dem gewöhnlichen Weg? Man muß sich ja erschrecken, wie Sie einen überfallen.«
»Das war nicht die Absicht. Ich wollte feststellen, ob Sie es wirklich sind, bevor ich Sie ansprach.«
Das Ungeheuer! Was hat er für schwere Schuhe an auf dem zerweichten Boden, die reinsten Hufe. Darum hatte sie ihn zuerst für ein Pferd gehalten.
Er ist so unbewußt. Wie ein Wagen rollt es von ihm heran.
»Ich habe von Ihren sportlichen Siegen in Regensburg, Nürnberg, Schliersee und München gelesen,« sagt die Geier, sie läßt nicht eine Stadt aus.
Für die aufmerksame Erwähnung muß ja der glückliche Sieger sich dankbar erweisen.
»Ich habe morgen abend frei. Wollen wir miteinander ins Kino gehn?« schlägt er ihr vor.
»Ja,« sagt Frieda Geier.

Am Montag, wenn die Tretmühle anfängt, steht Frieda Geier mit dem Schlüsselbund in der Hand am Wall und schließt mitten zwischen Brennesseln und Brombeersträuchern eine schrägliegende Tür in der Befestigungsanlage auf. Es sieht aus, als sperre sie einen Berg auf. Drinnen ist ihre Garage. Vorsichtig quetscht sie ihre kleine grüne Knarre, den Laubfrosch, durch die Tür, steigt noch einmal aus und schließt den Berg wieder zu. Sie trägt feste Schnürstiefel, einen strapazierfähigen Rock und die Lederjacke.
Etwas leise Spießiges und darum Anheimelndes geht von ihr aus, das ist die Tarnung. Die Kleidung muß auf Stadt- und Landkundschaft zugleich abgestimmt sein. Sie muß auf den ersten Blick wie jemand aus der Laufkundschaft wirken. Im Anfang hat sie da Fehler gemacht und sich zu flott angezogen.
Der Laubfrosch macht einen Spektakel wie ein kleiner grüner Stänkerteufel und rüttelt die Knochen gehörig durcheinander.
Frieda nickt dem Mooshüter zu, der im Lodenmantel vom Donaumoos nach der Stadt strebt. Soeben fährt sie zum Kreuztor hinaus.
Sie kennt jede Straßenkrümmung auswendig. Sie weiß, wo der Laubfrosch einen unfreiwilligen Luftsprung macht. Sie ist heute etwas später daran, läßt den Laubfrosch hüpfen. Es sieht lächerlich aus, wenn sie das leichte Vehikel an die Grenze der Leistungsfähigkeit hinauftreibt.
Hier ist die Stätte der Taten. Frieda klemmt die Mappe unter den Arm.
Sie läßt den Laubfrosch nicht unmittelbar vor dem Eingang stehn, damit er dem Kunden nicht den Zutritt versperrt. Sie tritt in den Laden, nicht zu plötzlich, der Mensch hat Nerven.
Sie grüßt mit bescheidenem Selbstbewußtsein und muß warten, bis die Kundschaft abgefertigt ist. Der Montag ist ein lebendiger, der Dienstag ein toter Tag.
Sie steht nicht wie eine Ausgestoßene in ihrer Ecke. Ihr Schweigen ist Dienst am Kunden.

Frieda hat es gelernt, in Qualen zu lächeln. Das Warten ist nicht das Schlimmste. Es gibt Kaufleute, die einen mutwillig hinhalten, die sehr wohl empfangen könnten. Aber es paßt ihnen im Augenblick nicht. Jetzt geht es beim besten Willen nicht, heißt es.
Und wenn der Kaufmann im Nebenraum bloß seine Fingernägel schneiden will oder wenn er nicht aufgelegt ist! Warum soll man den kleinen Vertreter, der sich nicht wehren darf, nicht drücken?
»Fräulein, kommen Sie am Nachmittag wieder.«
»Geht es denn wirklich nicht? Am Nachmittag bin ich nicht mehr im Ort.«
»Nun, dann kommen Sie gar nicht.«
Werden die Spesen und der Zeitverlust nicht am Ende größer wie der ganze Auftrag sein? Frieda weiß, was es heißt, wenn der andere Teil die Trümpfe in der Hand hat.
Aber sie hat ein Recht hier zu stehn, weil sie es sich nimmt.
Ihren Augen entgeht nicht, daß Herr Stubenrauch von Firma Stubenrauch, Feinbäckerei um eine Kleinigkeit langsamer bedient, als er sie erblickt. Ein Entschluß wandelt sichtbar durch sein Gesicht: er bestellt nicht.
Was doch Herr Stubenrauch für eine steife Miene annehmen kann! Kein Fußball ist lederner im Gemüt. Nur nicht Mensch oder Mitmensch werden.
Sie kann ja stehenbleiben, wenn ihr die Zeit nicht lang wird.
Genau gesagt wäre Herrn Stubenrauch leichter ums Herz, wenn sie dort nicht stünde. Mit ihr kam zwar nicht das Unglück herein, aber eine Gefahr. Jetzt sind sie zu zweit im Laden.
Die Stunde drängt. Jeder abspenstige Kunde ist eine verlorene Schlacht. An Frieda ist es, den Bann zu brechen.
Soll Frieda ihm vertraut in die Augen blicken: wie haben wir es miteinander? So plump ist Frieda nicht. Dann sagt er nämlich nein. Neinsagen am Anfang ist leicht.
»Sie erlauben schon, daß ich mir bei Ihnen die Füße abtrete.

Wenn man den ganzen Tag in dem kleinen Wagen sitzt, wird man ganz klamm.«
»Bitte sehr, Fräulein Geier. – Hm.«
Diese Frieda, das Aas, hat nie in ihrem Leben einen Hintergedanken gehabt. Hier steht sie im Schafsgewande und nimmt sich um sein Wohlbefinden an, wie wenn sie verwandt mit ihm wäre.
»Wie soll es gehn bei den schlechten Zeiten? Früher hat man gesagt: was man dem Mund nicht gunnt, fressen Katz und Hund. Heute hat sich die Menschheit dem Satz verschrieben, lerne leben ohne zu essen. Die Kundschaft bleibt einem weg. In der Kolonie draußen hat sich wieder ein Bäcker hingesetzt, Sie werden es wissen. Bestellen kann unsereiner sowieso nicht mehr. Ich sage das bloß, damit Sie sich keine falschen Hoffnungen machen.«
Der Konkurrenz würde, wenn sie es hört, wie Herr Stubenrauch kein gutes Haar an sich läßt, das Herz im Leibe hüpfen. Jedenfalls winkt er schwerfällig ab.
Frieda legt Nachsicht in ihre Stimme. Wenn man die Kaufleute reden hört, liegen sie am Absterben alle miteinander.
Frieda führt ein Gespräch mit Herrn Stubenrauch, nicht weniger und nicht mehr.
Ob er weiß, daß der kleine Willy in der Stadt als Fotografie im Schaukasten steht, ganz der Papa. Und wie natürlich der kleine Mann auf das Vogerl blickt, das der Fotograf ihm angeblich zeigt. Frieda spricht vom unvermeidlichen Wetter. Die Leute werden sich, nachdem die Regenperiode vorbei ist, aus ihren Wohnungen wegrühren und leichter kaufen. Sie spricht davon, daß Frau Neidlinger – Neidlinger ist jene Konkurrenzfirma, die sich in der Kolonie hingesetzt hat – eine notorische Verschwenderin sein soll. Die kostet. Aber wenn man sie genau anschaut, hängt alles an ihr dran, wie wenn es ihr nicht gehört.
Diesmal hat sie ihm eine Lage wie Milch und Honig eingestrichen, das muß er seiner Frau weitersagen.
Durch öden Tratsch der kleinen Leute muß sie waten, aber

so wollen die es eben haben. Sie braucht das Thema ja nicht breitzutreten. Mit Wenigem hat sie den Ton in ihm angeschlagen.
»Über meine Frau kann ich nicht klagen.«
»Da ist Ihnen viel Kummer und Sorge vorbeigegangen.«
Frieda spricht nicht von den Steuern, obwohl zu dem Thema jeder Herztöne findet. Es könnte ihn sparsamer machen. Aber die Maul- und Klauenseuche ist unberufen aus dem Bezirk verschwunden; für Märkte ist nicht länger gesperrt.
»Und jetzt wo wieder Viehmarkt ist, lassen Sie mich auch was verdienen. Sie kennen mich, Herr Stubenrauch, ich biete Ihnen nichts an, was nicht Ihr eigener Vorteil wäre. Ich habe da ein Mehl, das macht mir keiner nach, Eins A. Das müssen Sie ansehn. Ansehn heißt noch nicht kaufen.«
Sie hält ihm das Leinensäckchen mit der Mehlprobe unter die Nase, er kann sie nicht daran hindern, er hätte schon ihre Hand wegstoßen müssen; sie war so flink.
»Und was kostet das? Ihnen steht der Verstand still, wenn ich Ihnen mein Angebot nenne.«
Am liebsten hätte sie den Mann von der engherzigen Kaste gegen sein langweiliges Schienbein getreten. Er hält sie auf.
Herrn Stubenrauch steht über das Angebot zwar nicht der Verstand still. Gleich wird er sich die Haare über die mörderischen Gewohnheiten seiner Mitmenschen raufen. Er müßte es nicht mit Frieda zu tun haben. Nun hat sie sich festgebissen, nun läßt sie nicht locker, hin muß er sein.
Nicht alle sind gegen sie, wie sie sein sollten. Manche Herren nehmen sich gegen ein alleinstehendes weibliches Wesen Freiheiten heraus. Aber das muß sie Herrn Stubenrauch lassen, er persönlich ist noch immer hochanständig zu ihr gewesen.
»Darum komme ich auch gern zu Ihnen, das wissen Sie.«
Sie schaut ihn an mit dem Blick, an einer Eiche könnte er rütteln.
Sie steht vor ihm als ein schwaches Weib, in dieser Welt von

Männern erdacht. (Gegen sein langweiliges Schienbein würde sie ihn am liebsten treten.)
Er weiß nicht, wie er sie wieder los wird, ohne daß er bestellt, denn Frieda wankt und weicht nicht. Nun hat sie ihn auch noch ins Vertrauen gezogen.
Er hat kein gutes Gewissen, als er ihr seinen Auftrag erteilt. Daran müssen nun die nachfolgenden Vertreter glauben. Er hebt nicht die Hand zum Schwur, aber das nimmt er sich vor, er will, um sein Leben zu fristen, sich zur fühllosen Mauer entwickeln.
Frieda kann die Bestellung in ihr Orderbuch schreiben.
Ihr Lebensfaden ist wieder einmal verlängert.
Es ist ja so wichtig, daß man seinen Kunden zu nehmen versteht. Der eine will sich nicht aufhalten lassen. Bei ihm erreicht man am meisten durch den preußischen Ton. Mit idyllischen Gesprächen kann man ihn jagen. Das gerade will der Nächste, anders schmilzt er nicht hin. Bei dem anderen muß man aufdringlich sein, den Bohrer ansetzen, ihn pressen.
Es gibt Anspruchsvolle unter den Kunden. Ein Spitzmäusiger, der mit dem Einjährigen abging, will bei jedem Besuch was erleben. Ihr seid die Ritter von der Landstraße, ist er imstande zu schwärmen. Ihr müßtet euch hinsetzen und das moderne Epos des Lebens schreiben. Nun – ohne Aufschneiden geht das nicht ab. Leute wie diese lassen sich nicht von den schlichten Tatsachen erschlagen. Man muß seine Einfälle wie ein Versicherungsreisender haben.
Schlagfertigkeit ist eine Gewöhnung des Geistes. Der Treppenwitz aber ist der Tod. Übrigens ist es gerade dieser Blasse, der einem am meisten abknapst. Bei ihm wird viel verlangt und wenig verdient. Der Blutegel, nennt ihn Frieda.
Die Worte müssen die richtigen sein. Man darf keinen Fehler begehn. Letzten Endes bleibt alles ein Zufall.
Die Konkurrenz bringt es mit sich, daß man in jedem Laden einen Fetzen Haut läßt. Frieda muß gegen lauter Männer antreten, die ihre Kollegen sind. Man muß seinem Vorder-

mann scharf auf die Hacken steigen, sonst wird man an die Peripherie gedrängt, wo man verhungert. Der Absatz stockt, zu viele laufen mit in der Branche. Man muß den Kaufmann um Sinn und Verstand reden, ihn hypnotisieren.
Wie der andere damit fertig wird, ist seine Sache. Das oberste Gebot eines jeden: er darf sich nicht in die Lage des anderen versetzen. Mitgefühl lähmt. Das Recht zum Leben, das man dem Nächsten einräumt, nimmt man unweigerlich von der eigenen Substanz weg. Worauf man nicht selber die Hand legt, hat schon ein anderer beiseitegebracht. Was man selber verbraucht, hat man sowieso allen anderen weggenommen. Wenn man es scharf bis zum Ende denkt, müßte man sich in einen Graben legen und unter freiem Himmel den Tod erwarten, damit man keinem anderen was tut.
Einer reißt dem anderen das grüne Blatt vom Mund, welches sein Leben verlängert.
Soll man auf einen Auftrag verzichten, weil der Kaufmann im Druck ist? Wenn ich das Geschäft nicht mit ihm mache, kommt ein anderer und schließt mit ihm ab. Wenn er bei mir nachgibt, würde er bei einem anderen ebenso erliegen. Ihm wäre nicht leichter, bloß ich hätte das Nachsehn.
Es war ihr nicht an der Wiege gesungen. Frieda ist in die Branche hineingerutscht, als ihr nichts anderes übrigblieb. Manchmal hat sie einen Krampf in den Beinen, daß sie umsinken könnte. Danach darf sie nicht fragen, sie muß in die Dörfer hinaus.
Manchmal möchte sie alles hinschmeißen vor Verdruß. Es ist bitter nötig, daß Frieda sich den Stachel ins eigene Fleisch treibt. Wer würde für Linchen sorgen?
So ist das. Frieda läßt eine Schwester im Kloster aufziehn. Sie bekommt eine höhere Ausbildung, denn Linchen soll es einmal besser im Leben wie Frieda haben.
Die alleinstehende Frieda hätte manches nicht auf sich genommen. Linchens Frieda muß durch dick und dünn gehn und darf sich kein Gewissen daraus machen. Manchmal ist sie ausgeschöpft und wird schwach. Sie hält sich nicht von

den Sünden frei. Dafür muß Linchen vor der Schlechtigkeit bewahrt werden und ein glückliches Mädchen bleiben.
»Die muß für mich mitbeten,« sagt Frieda.
Der Herr wird es recht machen und Linchen die Hand sein, welche die arme Seele aus dem Fegfeuer zieht. Linchen ist der Stab, damit zu wandern. Einmal wird sie für Frieda, das Weltkind, zeugen.

Da haben sie auf dem Plan einen blutjungen Springer, ihren einzigen von Format, einen gewissen Riebsand. Er hat den Spitznamen Rih nach dem Pferd Old Shatterhands, weil er silberweiß an Haut ist.
Beim Sport ist es nicht gesagt, daß jener seine Sache am besten macht, der sie am längsten geübt hat. Rih z. B. hat im vergangenen Jahr, wenige Wochen, nachdem er den ersten sportlichen Sprung seines Lebens versuchte, die Landesmeisterschaft im Kunstspringen gemacht.
Zuvor war er niemand, ein ganz nett durchtrainierter Turner. Als er am Abend mit dem Personenzug vierter Klasse von München nachhause fuhr, war er sozusagen eine Kanone.
Aber ohne den Gillich, der ihm vom Verein zur Begleitung beigegeben war, wäre es ihm vielleicht nicht hinausgegangen.
Man muß wissen, mit welchen Gefühlen der Gillich auf das Prädikat Landesmeisterschaft reagiert. Er hat sieben Jahre hintereinander die Gaumeisterschaft im Kraulen gemacht; das letzte Mal hätte er glatt die Landesmeisterschaft dazu haben können. Da war kein Gegner, gegen den er nicht mit Leichtigkeit angetreten wäre.
Statt dessen kommt Gustl ins Grübeln und sieht die Liste der Teilnehmer durch, als habe er ein Recht darauf, heikel zu sein.
»In diesem Jahr ist die Ehre nicht groß,« behauptet Gustl. »Ich werde nicht melden.«
»Nimm sie,« reden ihm seine Kameraden zu, »das wird dir nicht wieder geboten.«

Gustl bleibt dabei, daß dieser Kampf kein Kampf, sondern eine ausgemachte Sache wäre. Gustl ist da ganz sicher, daß es sportlicher gedacht ist, wenn er sich unter diesen Bedingungen vom Wettbewerb ausschließt.
»So ein Rindvieh,« sagen seine Kameraden.
Der Verein, der gerne den Titel gekapert hätte, trägt es ihm nach und leistet es sich, Gustl Gillich im nächsten Jahr nicht mehr aufzustellen.
Diesmal hätte Gustl ja gesagt, aber er hört keinen Ton davon, daß man durch ihn zu Ehren kommen will. Es wurmt Gustl doch, wie er als unbedeutende Nebenperson den jungen Riebsand zum Kampf nach München begleitet.
Für den Sportkameraden zeigt er Ehrgeiz und sieht den Preisrichtern auf die Finger. Von der geheimen Bitterkeit sind seine Blicke sogar geschärft. Es steht gut für den Riebsand, wenn ihm nicht der was tut, der als sein gefährlichster Konkurrent soeben antritt.
Der tut ihm nichts mehr. »Brett berührt!« ruft Gustl. Sonst war der Sprung ordentlich.
Was ist denn das? Die Preisrichter halten für den Sprung die höchste Punktzahl hoch. Ist ihnen entgangen, daß das Brett gestreift wurde? Wenn sie keine Augen im Dickschädel haben, sollen sie keine Preisrichter machen.
Gustl ist ein Draufgänger im Sport und fühlt sich mitverantwortlich für Recht oder Unrecht, das hier geschieht. »Brett berührt, Brett berührt!« schreit Gustl so dringend, daß die breite Masse aufmerksam wird. Er schlägt ja um sich wie ein Ochse.
Jetzt erinnern sich andere, daß das Brett tatsächlich ein wenig gestreift wurde. Die auf der linken Seite sahen es ganz deutlich. Von allen Ecken und Enden wird auf einmal gepfiffen.
Gustl möchte darauf schwören, daß die Preisrichter den letzten Hauch von Parteilichkeit abstreifen und eine fast krankhafte Präzision in sich entdecken, die dem unbekannten Riebsand aus der Fremde seinen Titel rettet.
Was geschieht? Die Preisrichter stellen den genauen Namen

eines jungen Bullen namens Gillich fest. Sie beabsichtigen, sich bei seinem Verein über ihn zu beschweren.
Er soll sie wohl, wenn sie keine Augen im Dickschädel haben, auch noch mit Glacéhandschuhen anfassen?
Insgeheim wird unserem Gustl aus der Provinz doch etwas wind und weh zumute. Ach, wenn er auf die schwarze Liste kommt, kann er dann vielleicht keinen Kampf mehr bestehn?
Der graue Grimm sitzt auf Gustls niederer Stirn, eine entschlossene Düsternis, der männliche Ernst.
»Sie werden von uns und unserem Brief, der Ihre Ausscheidung beantragt, noch hören,« sagt einer der Herren schneidig.
In Gustl werden seine weißen Blutkörperchen wach, die Polizeitruppen in seinen Adern. Er produziert Gegengift.
Hat der Herr sich da nicht ein bißchen übernommen? Ist er ganz sicher, ob seine Amtswaltung eine Nachprüfung ertragen kann und daß da nirgends Dreck am Stecken ist?
Nur sich nicht Angst machen lassen!
Gustl drückt sich nicht in greifbaren Worten aus, aber der schneidige Herr hört den Ernst des Lebens in einiger Entfernung läuten.
Auf den angedrohten Brief jedenfalls warten Gustl Gillich und sein Verein noch heute.
Mißverständnisse auf der ganzen Linie. Was soll daraus werden, daß eine komische Rivalität, zwischen dem siebenjährigen Gaumeister im Kraulen und dem einmaligen Landesmeister im Springen einsetzt?
Ich habe den Titel dafür, daß ich erstklassig gesprungen bin, denkt Riebsand in sportlicher Unschuld.
Jedoch Gillich, der seinetwegen beinahe einen Brief aus München erhalten hätte, behauptet: »Ohne mich wäre er trotz der Leistung knapp am Titel vorbeigesegelt. Er war nicht der erklärte Liebling.«
»Es kann eben kein Talent aufkommen, wenn es keinen Schreier neben sich hat,« weiß der Gaumeister aus dem Schatz seiner Erfahrungen zu sagen.

»Aber das schreckt einen ja ab,« entdeckt die aufstrebende Schwimmschülerin, die neben dem Gillich steht, voll Entsetzen, am liebsten würde sie nicht mehr trainieren.
Gewiß sollte sich Gustl nicht auf diese Weise deutlich anmerken lassen, daß Rih ihm von rechtswegen dankbar sein muß für seinen Titel. Er kann es nicht lassen, sich ihm gegenüber als Sportautorität neben dem jungen Schützling zu benehmen. Am liebsten möchte er ihm vorrechnen, daß er an Dauer der Vereinszugehörigkeit ein ungelegtes Ei ist. Das muß sich Rih mit den ehrgeizgrauen Augen und dem bleichblonden Flaum über der hohen Stirn durchaus nicht gefallen lassen.
Rih sollte sich lieber nicht mit den Wenigen, die was vom Springen verstehen, verfeinden.
Er ist ein Glücksfall. Eines Tages fing er zu springen an und machte seine Sache gut, wie die anderen sagen. Aber er kann sich nicht selber beurteilen. Er hat kein Gefühl dafür, wann er schlechter springt. Fremde Springer hat er dreimal in seinem Leben, zuletzt bei seinem Kampf in München gesehen. Das kann so bleiben. Er nimmt sonst bloß fremde Unarten an. Aber da ist er nun ein Mann von überraschend guten Anlagen und kann im Verein und in der ganzen Stadt niemand finden, der seine Technik abschleift.
Wenn er sich im Verein beim Springen beobachten läßt, um seine Fehler zu erfahren, reagiert jeder eine andere Theorie an ihm ab und macht ihn unsicher. Es ist ein Jammer um das erlesene Zuchtmaterial. Das sind die Nöte der Abschnürung, von denen sie in den großen Städten keine Ahnung haben.
Der Gillich versteht noch am meisten, aber er ist doch als Krauler geboren und sieht alles durch seinen Schwimminstinkt.
Jetzt muß ich ganz dumm fragen. Wo hat denn der Gillich seine Schwimmtechnik her? Wo Gott sie ihm anfliegen ließ. Aus der Deuligwoche.
Es ist doch für was gut, wenn die großen Wettkämpfe gefilmt werden. Man kann im Kino was lernen. Der eine sieht es,

der andere sieht es eben nicht. Es gibt glückliche Veranlagungen, die das Weiterführende am Erfolg des anderen im Nu erfassen.
Am meisten hat der Gillich daraus entnommen für seine Wende.
Nicht jeder kann es. Manche verzagen daran, daß sie im ruhigen Brackwasser leben. Schon gibt Rih, der Silberhengst mit den rassigen Nüstern, seiner Umgebung leise nach.
»Ich brauche mir auch nicht jedesmal die Haut zu schinden, wenn ich aus solcher Höhe hineinspringen muß,« sagt er zum Beispiel und trägt, um seine zarte Haut zu schonen, beim Springen über der nackten Brust eine alte Schneiderweste.
Es gibt einen peitschenden Schlag, wenn er mit seiner knappen Turnergestalt die pralle Wasserhaut zerreißt, und beim fünften oder sechsten Mal platzt die alte Weste im Rücken von oben bis unten.
Der Nachwuchs, der wie weiße Fliegen am Seitensteg klebt, frißt sich die Mäuler schier ab vor Bewunderung. Aber ist damit vielleicht eine besondere sportliche Ehre zu holen?
So geht es nicht weiter. Rih braucht einen anständigen Trainer.
Rih setzt durch, daß der sparsame Verein nun doch bange wird um den jungen Ruhm und ihn mehrere Sonntage hintereinander ins Hallenbad nach München zum Training schickt.
Seine Mutter zeiht ihn der schweren Sünde, weil er am Sonntag die Kirche versäumt, und Rih verteidigt sich mit lahmen Sätzen, fühlt sich jedoch nicht als der Ketzer, für den seine Mutter ihn hinstellt.
Noch brennt ein Licht in ihm. Er ist statt kirchenfromm nur eben leibfromm geworden.
Die Mutter versteht das nicht, wie bitter nötig er seinen Sonntag hat. Jeder Sonntag muß ihn aus den Unklarheiten einer ganzen Woche retten.
»Nur nicht nachlassen,« sagt Rih. »Feilen, feilen und noch einmal feilen.«

Rih versteht nicht, daß es Großstädter gibt, welche die Gelegenheit haben und sie nicht ausnützen. Er nimmt sich ein warnendes Beispiel am Lebenswandel von inzwischen verschollenen Kanonen. Denn warum sind sie verschollen? Selbstsicherheit ist der Tod der Entwicklung.
»Ich weiß, daß ich nichts weiß,« betet Rih.
Wer kann voraussagen, ob er wie eine blinde Henne nur einmal ein Korn gefunden hat? Es muß sich erst zeigen, ob er nicht am nächsten Sonntag beim großen Hallenschwimmfest in Nürnberg Prügel bekommt.
Ja, beim kommenden großen Schaukampf in Nürnberg wird Riebsand wieder herausgestellt. Neue Bewegung ist in seiner Laufbahn. Er ist nicht mehr im Brackwasser.
Wer macht seinen Begleiter?
Das möchte Riebsand gerne selber erfahren. Es muß ihn doch jemand begleiten. Er kann doch am entscheidenden Tag nicht so armselig allein seinen ganzen Verein vertreten.
»Diesmal mußt du dich selber durchfinden,« sagt der Verein zugeknöpft und ist bis auf die Zähne entschlossen, die Spesen für den Begleiter zu sparen.
So unbarmherzig will man ihm die Stütze des moralischen Hintermannes entziehn und hat es darauf abgesehn, ihn unter sämtlichen fremden Gesichtern zu deprimieren.
Sind die fremden Gesichter für Rih so schlimm? Er ist zwischen neun Kirchen aufgewachsen und sonst nirgends. Man kann bei ihm zwar von Rassigkeit, doch nicht von seiner Weltläufigkeit sprechen.
»Wenn du das machst, dann bist du erwachsen,« sagt der Verein.
Aber die zweite Schlacht steht auf dem Spiel, die oft wichtiger ist als die erste. Wegen zwanzig Mark!
»Die Esel wissen nicht, was sie verlangen,« sagt Gustl Gillich.
Gustl schwört auf den Satz, daß es für Endergebnisse keine Propheten gibt und daß bei jedem Kampf der reine sportliche Gedanke und die äußere Mache nebeneinanderlaufen. Er hat

das Sportjunge aus der Taufe gehoben und bringt es nicht übers Herz, die steil begonnene Laufbahn durch die eigene Teilnahmslosigkeit zu knicken.
»Ich fahre mit auf meine eigenen Kosten,« verspricht er, und Rih kann in seinem Entschluß keine grobe Aufdringlichkeit erblicken.
Als Riebsand am Samstag wie ein gespanntes Segel auf dem regennassen Bahnsteig wartet, muß er die Entdeckung machen, daß noch jemand mitfährt, keine Sportperson. Frieda Geier. Was hat die bei seinem Kampf zu suchen?
»Fräulein Geier kommt mit,« sagt Gustl beiläufig, und Rih muß ihr die Hand geben, wie wenn nichts wäre. Schon bin ich hereingefallen, denkt Rih.
Das ist ein völlig anderer Gustl, der auf seine eigenen Kosten fährt. Sein Eifer wird gemildert. Rih kann nicht verlangen, daß er mit dem übergeordneten sportlichen Zweck keinen privaten Nebenzweck verbindet.
Die Geier blickt ziemlich selbstbewußt drein und macht nicht den Eindruck, daß es eine Neuigkeit ist, wenn sie zum Gillich du sagt. Rih hat nicht die leiseste Ahnung, wie nahe die Geier dem Krauler steht. Er muß am Montag jemand danach fragen.
Aber wenn er die mitnimmt und womöglich Geld für sie ausgibt, wird seine Begleitung so üppig nicht werden.
Vier Stunden lang sitzen sie im Personenzug, der bereits auf die Sonntagskarte geht, einander gegenüber. Das Gespräch wird nicht intensiv. Rih verausgabt sich nicht. Gustl und Frieda können das, was sie einander dringend an den Kopf werfen müssen, hier nicht sagen.
Der Sitz ist eng. Frieda streckt die Beine mit den neuen seidenen Strümpfen in einer knackenden Bewegung auf der gegenüberliegenden Stange aus. Rih, der vis-à-vis sitzt, bemüht sich nicht hinzublicken. Jetzt berührt er mit den Fingerspitzen das Bemberggewebe erste Wahl. Wie ungeschickt! Er zuckt zurück, als habe er eine seidene Schlange angefaßt. Nein, das darf man von ihm nicht verlangen, daß er Schlan-

gen und weibliche Wesen anfaßt. Der keusche Josef und die Selbstzucht leuchten von Rihs Gesicht wie eine ernste Kraft. Er ist noch so wenig niedergebrochen, daß es von ihm aus überhaupt keine Weiblichkeit zu geben braucht. Er genügt sich selbst.
»Ich kann Sie so gut verstehn,« sagt plötzlich Frieda, die Kanaille, sie konnte seine Gedanken lesen. Sie nimmt sogar die Beine weg und trägt ein Scherflein bei zum Gedanken der Hochzucht und des Kampfes mit sich selbst.
Nicht alle Sportler sind so konsequent. Gustl z. B. lacht über den Jüngling im sicheren Besitz seiner verschwiegenen Erfahrungen. Wer ist nun der Stärkere?
Der Zug fährt langsamer, dröhnt über eine Unterführung, während man unten eine breite Straße mit grauen Häusern liegen sieht. »Das ist Nürnberg,« sagt Gustl und beweist den Zweiflern, daß er in seinem Leben auch hier schon kämpfte.
Sie begleiten Rih in das Bad, wo ihm sein Quartier angewiesen wird. Hoffentlich kommt er allein in ein Zimmer.
Gustl bleibt hart. Er wartet zusammen mit Frieda in der Halle und läßt Rih alles selber machen.
»Frag nur, wo die Kanzlei ist, und zeig deinen Ausweis her. Diesmal sage ich es dir noch. Beim nächsten Mal mußt du alles selbständig wissen.«
Dieser Rih in seiner Prinzenmanier, er hat wohl gedacht, er braucht in Nürnberg bloß wieder zu springen und alles, was drum und dran hängt, streichen die anderen ihm hinein. Da hat er sich darauf verlassen, in die reine Liebe seiner Mitmenschen zu treten, statt dessen sieht er sich für den Rest des Samstags kaltgestellt. Erst morgen soll er die Hauptperson werden.
»In deinem eigenen Interesse empfehle ich dir, dich sofort ins Bett zu legen und dir die Bahnfahrt aus dem Leib zu schlafen,« sagt Gustl schamlos. Dabei ist es noch hell. Die Läden sind noch nicht einmal geschlossen. Er will wohl allein mit der Geier Nürnberg entdecken?
Rih tut nicht dergleichen, als ob er die Zurücksetzung spürte,

höchstens wächst er daran. Er verabschiedet sich gefaßt.
»Halt! Deinen Bademantel wolltest du mir noch geben.«
An einer Marmorsäule packen sie den Frottiermantel in Riebsands Mappe hinüber, den alten grauen. Rih gibt es einen Stich in der Seele. Gustl hat sich nicht von seinem neuen getrennt, der in den Farben leuchtend und im Gewebe voll wirkt.
Mädchen schlendern vorbei mit nackten Beinen und getauften Haaren, junge Männer im Schillerkragen, die nach dem Endspurt im Wasser in ihren Kleidern dampfen.
Es ist schlimm genug, daß der Landesmeister im Kunstspringen keinen Bademantel besitzt, er kann doch nicht vor den anderen zurückstehn. Auch er muß sich in den Pausen in etwas hüllen, wenn sein Körper naß ist. Gustl hätte ihm hier, wo er aller Blicke auf sich ziehen soll, wirklich nicht den schlechteren Mantel vorsuchen müssen.
Aber Gustl hat bloß getan, was seine Mutter aus der strengen Vorsicht ihrer Erfahrungen heraus ihm riet: Wenn du einem Fremden was abgibst, dann nur das Schlechteste und Älteste, woran am wenigsten kaputt wird.
Frieda wiederum sagt: »Man sollte wenigstens unter jungen Sportlern einen anderen wie den ökonomischen Standpunkt finden.«
»Morgen um zehn sehen wir uns am Bassin wieder. Daß du mir nicht verschläfst, Rih!«
Wie macht man das, wenn man in einem Hotel ein Doppelzimmer mietet? »Daran denke ich gar nicht, wie man das macht,« behauptet Frieda, und Gustl, der im bisherigen Leben ausschließlich mit der Vereinskiste losgezogen ist, bestaunt ihre Sicherheit, mit der sie im Hotel am Gebotenen mäkelt. Das Zimmer ist ja lang wie ein Schlauch und die Betten stehn hintereinander!
Sie holen ihren Koffer vom Bahnhof. Auf halber Treppenhöhe bleibt Gustl am Fenster stehn und schreibt den Meldezettel aus, mit dem die Bedienung ihm nachläuft.
Es ist für sich allein eine Blamage, wie lange Gustl an diesem Meldezettel schreibt. Er muß wohl scharf nachdenken, ob er

geboren ist? Frieda setzt bereits ungeduldig oben auf der Treppe den Koffer ab. Wie kann man es bloß so auffällig machen?
Da lächelt Gustl und schreibt. Er hat sich einen Trick ausgedacht, daß man ihm nichts machen kann. Vorsicht und Torheit! Dagegen ist Frieda von stolzer Art und verleugnet ihre Kinder, die Sünden, nicht.
Schweigen wir von der gnädigen Nacht, die Gustl, dem süchtigen Hochzeiter in der Fremde, den Atem raubt. Die dunklen Stunden sind über seine sinnlichen Vorstellungen hinaus eine Hexerei, duftender Honig vom Inneren des Baumes, den der Bär mit täppischen Bewegungen wildert.
»Ich bin dir grenzenlos dankbar,« stammelt Gustl, »du Engel oder Megäre.«
Seine Zähne schlagen fröstelnd gegeneinander. Jede einzelne Stelle seines Leibes lächelt.

Die Teilnehmer am Wettbewerb halten sich neben dem Bassin in einem Raum mit schmalen Kästen auf. Rih stellt soeben die Schuhe in seinen Kasten und zieht den Schlüssel ab. Er hat die Kappe schon auf, als er von Gustl und Frieda begrüßt wird.
Das wäre noch schöner, wenn sie ihn nicht eigens aufgesucht hätten.
Rih ist aufgeregt. Man hat ihm heute schon angst damit gemacht, daß er gegen den Mann springen muß, der als einziger Kunstspringer von München zu den Internationalen Wettspielen entsandt wird; gegen den wird er wohl nicht bestehn.
»Vor den anderen ist mir nicht angst,« sagt Rih, und das Herz schlägt ihm im Hals. »Aber wenn er sogar für die Internationalen kandidiert, werde ich dagegen nicht aufkommen können.«
Der Weltatem fegt über den Springer aus dem kleinen unbekannten Verein hin, das magische Wort, und schaltet seinen Willen für die nächste halbe Stunde vollständig aus.

Gustl weiß, warum er mitgekommen ist. »Das wären mir so die Methoden, um einen Mann, bevor er anfängt, zur Strecke zu bringen.«
»Aber es ist doch wahr.«
»Das hat man dir absichtlich gesagt, damit du entmutigt wirst,« klärt er den unerfahrenen jungen Menschen auf. »Und wenn du der Angst nachgibst, haben sie erreicht, was sie wollten.«
In Rihs Augen, die eine Maserung im Kasten umklammern, erscheint was Dunkles wie stählerne Zangen.
Jetzt steuert ein Ordner auf Gustl mit seiner nicht hergehörigen Frieda los.
»Wenn Sie nicht Teilnehmer an der Konkurrenz sind, müssen Sie diesen Raum verlassen. Der Raum ist nur für die Teilnehmer bestimmt.«
»Servus, Rih! Wenn du was von uns brauchst, wir stehen am Steg, linke Seite, vor den Kabinen.«
Im Bassin, das man nur mit der Kappe auf dem Haar betreten darf, schlingert das lichte Wellennetz im durchdringend blauen Wasser. Das weiße Band, das die Streckenlänge absteckt, hüpft, von Korkschwimmern getragen, leise auf und nieder. Daneben bleibt ein schmaler Gänseteich frei, in dem ein unentwegter Schwimmer trainiert. Jetzt bekommt er eine Beschwerde und muß heraus. Die Schwimmausscheidungen haben das Vorrecht.
Gustl und Frieda genießen von ihrem Geländer im ersten Stock die gute Übersicht. Gustl gibt für Friedas Laienverstand halblaute Bemerkungen hinüber. Er macht zum Beispiel auf einen aufmerksam, der durch die Wende jedesmal einen ganzen Zug vor seinen Gegnern spart und dadurch aufholt. Gustl sieht das sofort.
Da treibt es Rih in seinem grauen Bademantel wie ein Irrlicht auf den Steg im ersten Stock.
An einen Preisrichter soll ein Brief geschrieben worden sein, daß der internationale Kandidat unter allen Umständen siegen muß und sich in diesem internen Kampf keine Prügel holen darf. Ja, das wollte er Gustl schnell noch sagen.

Wie wenn Gustl alles gutmachen könnte! Sportklatsch, gegen den der Sportler aus der Provinz nicht immun ist.
»Briefe, daß einer siegen muß, gibt es im Sport überhaupt nicht,« sagt Gustl. »Absprachen erfolgen höchstens mündlich und keiner wird sich so leicht den Mund verbrennen. Laß dir doch nicht solche Geschichten erzählen. Jetzt mußt du endgültig Schluß mit dem Grübeln machen. Alles ausschalten. Dich gegen eine Wand stellen. Tief und ruhig atmen.«
Die Springer werden namentlich aufgerufen. Eine Pause entsteht, nachdem der letzte Name verlesen ist. Niemand ruft »Hier!« Ist was dazwischen gekommen? Wer hat wen abgehängt? Ist dem internationalen Kandidaten der Mut zur eigenen Courage vergangen? Riebsand ist plötzlich empört anstatt erleichtert zu sein. Dann tritt einer mit einem Satz aus dem Ankleideraum und tut es für die Schau, ein stämmig gewachsener Mensch mit rabenschwarzem Haar. »Tarzan!« sagt Frieda.
»Der ist es,« sagt Gustl gedehnt. »Den kenne ich, der ist aus dem Wirtsgewerbe. Den halten die reichen Brauer. Den habe ich einmal mit Luber gesehn, als er noch klein war und der Luber schon groß. Aber bei den Internationalen hat der nichts zu bestellen. Er müßte sich denn sehr verändert haben. Der braucht wohl noch einen Sieg auf seiner Liste. Da haben sie gedacht, bei der Internen kann ihm nichts passieren. Sonst hätten sie ihn doch nicht aufgestellt. Sonst hätten sie doch nicht ihren internationalen Kandidaten gefährdet.«
So giftig kann Gustl gegen eine unliebsame Erscheinung in seiner Interessensphäre sein. Die Rivalität des kleinen aufstrebenden Vereins schwingt in seiner Stimme.
Nein, Gustl glaubt nicht, daß ihm von dieser Seite was Gutes kommt. Er blickt aus dem ersten Stock auf den Raben nieder, als hätte er Donner und Blitz für ihn zu verschenken.
Was tut der unselige Star, für den Gustl keine Hand ins Feuer legt? Er rechtfertigt seinen finsteren Verdacht. Jetzt zum Beispiel markiert er den einzigen Mann, der sich hin-

setzt, auf ein weißes Frottierhandtuch an den Rand des Bekkens setzt, damit er sich von allen anderen abhebt. Er läßt seine Beine mit den riesigen Fußtellern über dem Wasser hängen.
»Baumhackeln!« schnaubt Gustl.
Der Star nimmt das Ganze wohl mehr von der lässigen Seite, er hat es xmal durchgemacht. Er läßt sich anmerken, daß er den Betrieb auswendig kennt und daß er ihm zum Hals heraushängt. Sein Gesicht ist rosa. Er hat ein brutales Kinn und eine beschränkte metzgende Schärfe in seinen Augen, mit denen er abschätzig Rihs grauen Mantel mustert. Bescheiden legt Rih das graue Ding seinem Nebenmann über den Arm.
Riebsand wird aufgerufen.
Riebsand wendet den Kopf nach rechts und erhält den Befehl zu seinem ersten Sprung. In sich zusammengefaßt, Arme hoch, steht er auf den Zehenspitzen, das Gesicht nach dem Brett. Dann füllt sich seine Brust mit einem klaren tiefen Atemzug; plötzlich setzt er an zum Kopfsprung rücklings vorwärts.
»Sauber!« entscheidet Gustl kühl bis ans Herz hinan. »Aber ich habe schon bessere von ihm gesehen. Das macht das Stahlbrett. Der nächste Sprung wird besser, dann kennt er die Federung schon.«
Was bekommt Riebsand für seinen Sprung? Fünf Punkte.
»Fünf,« wiederholt Gustl wie ein aufsässiges Fragezeichen, er kann es aufs erste Mal nicht glauben. »Fünf Punkte für den ordentlichen Sprung? Sieben wären auch ein Anfang gewesen. Er stellt eben nichts vor. Den nehmen sie nie unter die Großen, weil er keine Figur hat.«
So urteilt Gustl, der an den Wahnvorstellungen seines Stammes leidet und seinesgleichen verfolgt fühlt.
Riebsand ist vollkommen ausbalanciert, aber mittelgroß und schmal. Er steht auf dem Sprungbrett wie ein knapper Span aus Stahl und Nerven, durchaus nicht Tarzan.
»Jetzt bin ich bloß neugierig,« sagt Gustl, »wieviel Punkte sie dem Raben geben.«

Tarzan auf dem Brett, das ist eben ein Anblick. Eine hochwüchsige Gestalt, blutwarm behaucht. Sie wäre plump, wenn sie nicht an den Lenden in die Länge gereckt wäre.
»Es wird warm,« sagt Gustl.
Seine Worte umschreiben den Eindruck, daß von der Gestalt da unten was ausgeht, das die Sinne der Zuschauer brutalisiert. Schon wie er dasteht allein, das leistet Arbeit in die Breite.
»Da ist mir zuviel drum und dran,« stichelt Gustl. »Der Mann läßt sich mit Absicht ansehn.«
Tarzan springt einen Hecht.
»Vier Punkte,« schnaubt Gustl verächtlich. »Der Kerl hatte ja die Beine offen wie eine Geburtszange.«
Dann pfeift er scharf. Tarzan aus dem Wirtsgewerbe erhält sieben Punkte.
Unterdessen schnellt er auf eine höchst anspruchsvolle Art aus dem Wasser. Die Leiter nimmt er in langen, siegesgewissen Sätzen. Noch im Abtreten schindet er Eindruck.
»Wenn Rih seinen nächsten guten Sprung macht, klatsche ich,« prophezeit Gustl voll Grimm.
Rih springt seine Mathematik. Gustl und Frieda klatschen ostentativ. Jetzt geschieht etwas. Fast alle anwesenden Sportler werten Riebsands Sprung mit durch spontanen Beifall. Rih schaut sich verwundert um.
Sein nächster Sprung fällt nicht ganz erstklassig aus. Er ist nicht restlos durchgedrückt. Rih fühlt sich wohl von der Sympathie ein wenig überrumpelt. Gustl wird rot und zieht den Hals ein. Er klatscht nicht mit den anderen, die nichts gemerkt haben, wenn es sich auch um seinen Landsmann handelt. So wenig korrupt ist Gustl. Er kennt eben seinen Rih auswendig.
Dann verspürt er an seinem Schützling wachsende Freude. Rihs Sprung nach Wahl, sein Auerbach-Doppelsalto, bleibt vor dem ärgsten Feind eine Leistung.
Riebsand wird Sieger vor Tarzan mit einer Mehrheit von eineinhalb Punkten.

Was aber soll man dazu sagen, daß bei der Nachmittagsveranstaltung der internationale Kandidat dem Publikum an erster Stelle vorgestellt wird, mit dem erhobenen Arm, der Geste des Siegers?
Der eigentliche Sieger des Tages wird von dem Sportbeamten nur mit gesenkter Stimme behandelt, als wäre er die Nebensache.
Es sieht fast aus, als käme der Sieg etwas ungelegen.
Tarzan steht als Ehrengast mit einem Hut auf dem Kopf und einer Mappe unter dem Arm am Eingang der Halle und verschmäht es nicht, soziale Vergleiche mit seinem Überwinder anzustellen.
»Mit welchem Zug sind Sie gefahren?«
»Mit dem Personenzug.«
»Ich habe meinem Verein D-Zug zweiter Klasse berechnet,« kommt die Antwort mit deutlichem Abstand. »Wo wohnen Sie?«
»In meinem Vereinsquartier.«
»Ich bin im Hotel abgestiegen und habe ein Zimmer wie für einen Fürsten.«
Beinahe treten Rih Mannestränen der zornigen Scham in die Augen. Er spürt, daß man ihn lächerlich macht, weil sein Verein arm ist.
Was hilft das schon, daß er nach dem Mittagessen eine Tasse Kaffee bestellt und mit der Bestellung über die detaillierten Anweisungen seines Vereins hinausgeht?
Der Kaffee bleibt eine ohnmächtige Geste.
Tarzan spricht wie ein Star und läßt sein Wissen um die Sportbörse und das demnächst zu erwartende Steigen und Fallen von Größen wie Morsezeichen aufblinken, die den Uneingeweihten aus seiner arrivierten Umgebung verweisen.
Wird Rih, der Silberhengst, im sicheren Gefühl seiner Leistung dem anderen was pfeifen?
Leider nein. Er ist noch nicht durch die Gewohnheit der Stürme gestärkt. Er kann sich von gewissen Grübeleien über

die erlittene Zurücksetzung nicht trennen. Wenn man es genau nimmt, schweigt man seinen Sieg tot.
In einem unterirdischen Gedankengang beginnt er die Unlust auf eine plötzliche Abneigung gegen Gustl zu übertragen, die Begleitperson, die nichts verhindert hat. Wofür ist dann Gustl überhaupt mitgefahren?
Gustl, der sich der besten Absichten bewußt ist und eigentlich darauf wartet, daß man ihn zur Siegesfeier holt, muß erleben, daß Riebsand ihn schneidet. Nun, Gustl ist nicht der Schwächling, um ihm nicht nahezutreten und rundheraus nach den Absichten für heute abend zu fragen.
»Du gehst sicher dahin, wo du gestern warst,« sagt Riebsand ohne jeden großen Zug und trägt ihm die Kleinigkeit vom vergangenen Abend nach.
Gustl tritt im ersten Schreck einen Schritt zurück, als er die Wahrnehmung macht. Da ist er auf seine eigenen Kosten nach Nürnberg gefahren, um den Schützling von der undankbaren Seite kennenzulernen. Seine Gefühle für Riebsand sind plötzlich gespalten.
Er kann es sich nicht versagen, ihm eine Prophezeiung mitzugeben auf seinen sportlichen Weg.
»Du brauchst Massel, daß du den Sieg aushältst,« sagt er und der Ton in der Kehle rutscht ihm eine Lage tiefer. »Es heißt, du sollst in Regensburg wieder antreten gegen den Raben. Du mußt ihm die Revanche geben.«
»Dann werde ich ihn eben noch einmal überrennen.«
Gustls Mund wird verschlossen. So leicht, wie Riebsand tut, ist es mit dem Sieg über den Raben denn doch nicht gegangen.
Riebsand soll sich nicht einbilden, daß ein Sportler auf demselben Punkt seines Könnens stehenbleibt. Das geht alles in Kurven, die nicht vom Willen des Einzelnen abhängen. Der einzelne kann nichts erzwingen, er kann höchstens was versäumen. Und wenn Riebsand auf seinen Sieg hin den Leichtsinnigen markiert, kann Gustl ihm jetzt schon sagen, daß er sich in Regensburg Prügel holt. Der Rabe wird sich dahin-

terklemmen, um vor der großen Reise den halb ausgewachsenen Rivalen, den nagenden Wurm an seinem Ruf, in die entfernteste Ecke der Wertskala zu verweisen.
Gustl drückt sich unsäglich geschraubt aus im Bemühen, daß er doch ja verstanden wird. Jetzt setzt er den Schlußdämpfer darauf und blickt suchend im Kreis herum.
»Übrigens war dein erster Sprung mäßig und dein dritter nicht glänzend,« lautet die schwerfällige Kritik eines Sachverständigen.
Das wäre ja langweilig, wenn Riebsand nach solchen Ausfällen seiner Neider den Kopf hängen ließe. Am liebsten würden sie ihm ausreden, daß er mit dem Merkmal des Siegers behaftet in seine Heimat zurückkehrt.
»Dann adieu, Gustl,« sagt Riebsand und hält dem Mentor verabschiedend die Hand hin. »Du mußt dich ja deiner Damenbegleitung widmen.«
Schon muß Gustl für Frieda leiden.
»Du nimmst den Nachtzug?«
»Nein, ich fahre morgen nach.«
Riebsand will sich noch an der Stätte des Siegs erlaben. Auch gut. Aber wenn er erst morgen fährt, kann Gustl ihm nur wünschen, daß nichts dazwischenkommt und daß der Zug nicht entgleist.
»Warum sollte der Zug entgleisen?«
»Ich weiß nicht,« sagt Gustl in strafendem Ton, webt seine düsteren Ahnungen um ihn, die Ausdrucksweise ist förmlich beschwörend.
»Ich rede von Zügen, mit Kreaturen, wie du bist, beladen.«
Schon wieder muß Gustl sich zur Anwendung des Hochdeutschen versteigen.
Ach, sein Abgang ist lahm, seine Andeutungen werden von keiner inneren Notwendigkeit beschwert, darum werden sie nicht empfangen. Er kann nur den Kopf zwischen die Schultern nehmen und sich als unliebsamer Mitläufer entfernen.

In gerechtem Zorn löst Gillich zwei Zuschlagskarten und fährt im Schnellzug nachhause. Das Abteil ist beinahe leer. Der Abend kommt wie Spinnweben zum offenen Fenster herein. Neben der Tür sitzt ein Mädchen in Trauerkleidung. Sie fährt schon von Berlin her und kann das lange Eisenbahnfahren nicht vertragen. Ihr Gesicht liegt beinahe auf den Knieen. Sie läßt die Arme willenlos aus den Schultern hängen, daß die blassen Fingerspitzen den staubigen Boden streifen. Sie macht keine einzige bewußte Bewegung von Nürnberg bis zur Donaustadt. Ihr Oberkörper wankt vornüber im Rhythmus der stampfenden Maschine.

Auf dem Boden rollt eintönig eine leere grüne Flasche in einer Zickzackbewegung, die durch die Fahrtgeschwindigkeit und die Kurven bestimmt wird. Sie braucht ziemlich lange, um den Weg durchs ganze Abteil zurückzulegen, und Frieda starrt gespannt auf den Flaschenbauch, der manchmal zögert, auf halbem Weg wieder umkehrt.

Das apathische Mädchen, der ziellose Weg der Flasche und das Spinnweblicht machen sie melancholisch.

Jetzt macht Gillich seine Gegenwart geltend, indem er aufsteht und die Flasche aus dem Fenster schleudert. »Hepp,« sagt er unwillkürlich in dem Bestreben, den Wurf weittragend zu gestalten.

Der Gram geht in ihr um über seine Nähe. Auf irgendeine Weise tragen sie es einem nach, fühlt Frieda. Gustl wird immer sonderbarer, je näher der Zug ihn an die Heimat heranträgt.

Anfangs hat er sich neben sie gesetzt und ihre Hand gehalten, die sie ihm heftig entzog.

»Darf man nicht einmal denken?« hat sie gefragt.

Welcher Wahnsinn hat ihn mit zwei Personen nach Nürnberg getrieben?

Er hat mit ihr eine Reise getan, nun ist er zur Strafe mit ihr in dem Abteil zusammengeschmiedet. Er kann nicht weglaufen wie sonst und den weiblichen Teil den Folgen überlassen.

Gustl kann nicht ruhig sitzen. Er macht viele kurze Bewegun-

gen, die sich gleichsam nicht von ihr lösen. Es ist, als hinge er an einem Strick.
Einmal blickt er zum Fenster hinaus wie ein Fremder und rechnet sich aus, was ihn die Reise gekostet hat. Einmal sucht er ihr in die Augen zu blicken und sich zu erinnern. »Schön wars,« sagt er verwirrt und erschrickt. Einmal nimmt er geistesabwesend den Koffer aus dem Gepäcknetz und tut ihn wieder hinauf. Er wäre erleichtert, wenn er auf der Stelle aussteigen könnte.
Hat er ihr falsche Hoffnungen erweckt? Noch lebt er als Sohn der Eltern und darf nur im Verborgenen der Lebemann seiner Neigung sein.
Gewiß sollte Gustl sich nicht auf diese Weise rar machen und ihren Stolz verwunden.
Jetzt legt er die Hand auf ihr Knie hinüber, sie fühlt sich davon beschwert.
»Es dürfte angebracht sein, daß wir wieder Sie zueinander sagen,« stammelt er leise.
Sie kreuzt seine Augen. Man kann nicht behaupten, daß ihr Blick besonders stolz auf ihn ist, stolz schon gar nicht. Er spürt den Stich der Scham und langt mit fahrigen Fingern nach einer Zigarette.
Frieda ist ohne jedes Verständnis für seine Zwangslage geboren. Seine Schleichwege wecken in ihr einen sechsten Sinn. Sie wird langsam böse.
»Die Männer muß man zugrunderichten, sonst richten sie einen zugrunde,« hat eine Freundin einmal gesagt. Plötzlich fällt ihr der Satz ein, die Erkenntnis ist schneidend.
Laut sagt sie, daß sie darauf nicht eingeht, denn warum?
»Ich bin nicht frei wie der Vogel in der Luft,« könnte er zu seiner Entschuldigung sagen.
Gustl schweigt. In ihm steigen alle düsteren Ahnungen auf. Diesmal wird er sich nicht so leicht aus der Affäre ziehn wie aus seinen anderen Affären.
Was das Schlimme ist, es imponiert ihm gewaltig, daß sie ihm Widerstand leistet. Ihre Haltung reizt ihn.

Was bildet er sich eigentlich ein? Er hat die Unvorsichtigkeit begangen, sie auf einer Reise mit einem Sportkameraden zusammenzubringen, der sich ihretwegen nicht den Mund zubinden wird. Jetzt will er sie abfallen lassen. Erst recht muß er mit ihr gehn und durch sein bestimmtes Auftreten die Mäuler zum Schweigen bringen.
Sie nämlich hat geglaubt, er ist ein Kavalier.
Hier wird an sein Ehrgefühl appelliert und etwas antwortet in dem beliebten Krauler. In diesem Augenblick ist er nichts weniger als ein Sohn. Ein Jubellaut will sich in seine Kehle drängen wie die graue Lerche.
Nein, Frieda ist ohne Verständnis für seine Zwangslage geboren, und das Merkwürdige ist, daß der Zwang sich in ihrer Nähe verflüchtigt.
Was sie von ihm will, fragt Gustl. Es läßt sich nicht leugnen, sie hat eine Art, ihn zu nehmen.
»Alles oder gar nichts,« sagt Frieda langsam. Eine Wucht steht hinter ihren Worten, der große Zug. Hier ist eine, die den Inhalt ihres Lebens schonungslos ausgießt. Sie kennt nur Verachtung dafür, wenn der andere Teil seine Seele rettet.
Der Pfeil fliegt. Dann hängt er zitternd in seinem Bewußtsein an einem schmerzenden Haken. Die Stelle bleibt fortan wund.
»Aber ich kann keine Frau heiraten, die kein Vermögen hat.«
»Von Heiraten ist nicht die Rede.«
Sie weiß selbst nicht, was daraus werden soll. Aber so leicht kommt er ihr nicht weg. Sie hat sich an keinen weggeworfen, der sie wie eine Bagatelle behandelt, sie nicht!
Gustl vermag nicht nein zu sagen. Ihm ist nicht ganz geheuer. Sie imponiert ihm gewaltig. Schon hat er sich in ihren Bannkreis begeben.
Gustl nickt. Er will es sich überlegen.
Der Zug fährt langsam in den Bahnhof. Staubiges Licht. Gustl darf endgültig den Koffer aus dem Gepäcknetz heben und die Tür öffnen.

Mit einem Fuß steht er auf dem Trittbrett noch im Fahren, unnötig flott. Die Waise aus Berlin rührt sich nicht. Sogleich kann er in Friedas Begleitung einem Bekannten begegnen. Das Blut klingt ihm in den Ohren. Er wirft einen prüfenden Kaufmannsblick über die Menschen, ob die Luft rein ist. Als ob damit was geändert wäre, wenn sie es erst in einigen Wochen merken.
Seht, Gustl wurde schon dreimal in Friedas Begleitung bemerkt. Da war er nicht spröde.
Damals war auch nichts zwischen ihnen vorgefallen.
Jetzt muß Gustl grüßen. Er fährt unstet mit der Hand nach dem Kopf, ist grenzenlos fahrig. Er hätte anstatt mit dem Hut beinahe mit dem Koffer gegrüßt, den er in der rechten Hand hält. Der, den er grüßen wollte, ist längst vorbei. Das kommt von der Verwirrung.
Der Bekannte hat sich die Beiden genau angeschaut. Die Reisegefährtin ist ihm nicht entgangen.
Jetzt habe ich ihn ganz zu mir herübergezogen, denkt Frieda Geier. Sie grämt sich nicht mehr.
Wenn es mir nicht mehr paßt, kann ich jederzeit wieder ausspringen, denkt Gustl.

Das ist für Frieda gar nicht so einfach, das Geld für die Fürbittenden Fräulein aufzutreiben. Damals, als sie für Linchen auf einen Schlag die Aussteuer fürs Kloster richten mußte, hat sie sich genug abgezappelt und keinen geschont.
Dafür hat Linchen alles erhalten, wie es auf dem Prospekt steht. Sie hat ihre drei hochgeschlossenen Kleider aus Wolle mit langen Ärmeln; eines darf einen Ausputz aus gleichfarbiger Seide haben. Sie hat sechs Kammtäschchen aus weißem Wollpikee, eine kleine Zinkwanne, um sich am Vorplatz zum gewissen Örtchen die Füße zu waschen. Sie hat ein Badehemd, das hinten zu öffnen geht, damit die Badeschwester ihr durch den Schlitz den Rücken reinigen kann, wo Linchen nicht hinkommt. Sie hat alles mitgebracht, wie es im Buch

steht, die ganze Wäscheaussteuer, darunter sechs weiße Nachthemden oder Nachtjacken nach Belieben.
Frieda hat sich für Jacken entschieden, weil sie weniger Stoff verschneiden, mußte aber auf Linchens Hilferufe aus dem Kloster lange Nachthemden nacharbeiten lassen. Wer eine Jacke hat, muß im Schlafsaal erst einen Unterrock anziehn, bevor er aus dem Bett steigen darf. Linchen, die nur Prinzeßunterröcke trägt, würgt sich jeden Morgen im Bett damit ab und kommt zu spät in die Kapelle.
Hier steht es im ersten Brief, den Frieda wie alle anderen aufhebt. Linchens ganze Not ist darin beschrieben. Die Vorschriften sind unnötig schamhaft.
Was nicht alles hat Linchen, nach den Briefen zu schließen, in der Klausur des Klosters durchmachen müssen! Jedenfalls hat Frieda das alles schriftlich. Sie kann ordentlich nachfühlen, wie Linchen im Kloster lebt, wenn sie auch selber nicht drin war.
Damit geht es an, Linchen muß lernen, was alles verboten ist. Sie kann da nur staunen.
Es ist verboten, Haarschleifen oder einen schiefen Scheitel zu tragen. Es ist verboten, auf den Gängen oder Treppen ein Wort zu sprechen, im Speisesaal zu sprechen, solange noch die Suppe gegessen wird. Es ist verboten sich abzusondern und heimlich in einem leeren Klassenzimmer zu lernen. Es ist verboten, sich untereinander Zettel zu schreiben oder hinter den geöffneten Türen der Kleiderkästen zu küssen. Es ist verboten, sich den Anfangsbuchstaben eines Namens ins Bein zu schneiden. Es ist verboten, bei einem anderen als dem vom Kloster dafür vorgesehenen Geistlichen zu beichten. Es ist verboten, während der Lernzeit in nicht zum Unterricht gehörigen Büchern zu lesen, seinen Bleistift fallen zu lassen oder öfter wie einmal am Anfang der Stunde seinen Pultdeckel zwecks Auswechselns der Lehrgegenstände zu öffnen.
Aus den übertriebenen Freiheitsbeschneidungen entstehen in den jungen Menschen seltsame Süchte.

Warum sonst sollte Anny während der Lernzeit aufstehn und wie verabredet auf halbem Weg zum Katheder ohnmächtig werden? Das Krankenfräulein wird gerufen, da liegt Anny am Boden. Auf welche künstliche Weise sie bleich wird wie ein Leintuch, läßt sich nicht sagen. Sie ist eine so konsequente Simulantin, daß ihr, wenn es sein muß, die Sinne schwinden.
Elly mit den vorstehenden Augen striegelt ihr blondes Haar mit Wasser aus dem Kopf, um durch Häßlichkeit aufzufallen.
Aber Maria mit der harten Aussprache kommt auf den Gedanken, tagelang mit einer großen grünen Flasche unter dem Arm zu wandeln und Auskunft auf die Frage zu verweigern, was denn so Wichtiges drin sei.
Ihre Cousine will ihr die Flasche wegnehmen. Maria faucht: »Eher lasse ich mir die Finger zerbrechen.« Ihre Augen versengen das Gesicht der Verwandten. Eine Kraft vom Satan ist plötzlich zwischen den Cousinen erstanden. Sie sprechen monatelang kein Wort miteinander.
Es kommt vor, daß sich Mädchen neben der großen Palme auf die Zehenspitzen stellen und den R-Laut schnarren, und das eine halbe Stunde lang. Was wollen sie sich oder den anderen damit sagen? Einige bringen sich Streichhölzer mit und stecken sie in ihre eigenen umgeklappten Augenlider. Es sieht gräßlich aus, wenn sie himmelan blicken und die Augäpfel starr wie Glas halten in den weißkantigen haarlosen Rändern.
Junge Mädchen, die sich mit unreifen Mitteln interessant machen wollen.
Die Aufsichtsdamen werden gegen Ende jeden Winters gereizt. Eine seltsame Unduldsamkeit ist zwischen all den festgehaltenen Personen entstanden. Ein Zögling wird verwarnt, weil sie sich im Garten hinter den gehäuften Schnee gelegt hat, um eine heimliche Zigarette zu rauchen.
Linchen Geier muß Fräulein Matutina um Verzeihung bitten, weil sie sich abends im dunklen Klassenzimmer aufgehalten hat.

»Ich habe nichts getan, was nicht recht ist,« sagt Linchen.
»Du lügst obendrein. Man geht nicht in ein dunkles Zimmer, um nichts zu tun.«
Ach, Linchen ist nur hineingegangen, um am Fenster zu stehn und mit den Wolken am Himmel zu flüstern. Niemand darf wissen, daß sie imstande ist, mit Wesen Zwiesprache zu halten, die keine Antwort geben.
»Und da weißt du nicht, was du zu tun hast?«
Fräulein Matutina hält sie am Arm fest und läßt sie nicht aus dem Zimmer.
»Ich bitte Sie um Verzeihung, aber ich weiß nicht wofür,« sagt Linchen endlich.
»Und du mit dieser Aufsässigkeit willst einmal in den Himmel kommen?«
Fräulein Matutina sieht unsäglich bitter aus im verzehrenden Drang, ihren Nächsten an seiner Seele zu bessern.
Zur Strafe muß Linchen an drei Sonntagen neben der Treppe knien, wo die Zöglinge in geschlossener Reihe auf ihrem Weg zum Speisesaal vorbeigehn.
Eine Zögling wird als übles Element aus dem Internat entfernt, weil sie Linchen auf dem Spaziergang wörtlich die Kleistsche Novelle »Die Marquise von O . . .« erzählte. Fräulein Matutina hat nicht durchgesetzt, daß Linchen für das bloße Anhören vom gleichen Schicksal der Verdorbenen ereilt wird.
Linchen ist sich bewußt, daß sie schon seit der Aufnahmeprüfung in Fräulein Matutina einen Stein des Anstoßes hat.
»Du hast wohl Angst in Geometrie?« wurde sie von der Mathematikerin Fräulein Matutina auf einem einsamen Gang über die Treppe gefragt.
»Ich brauche keine Angst zu haben,« antwortet Linchen naiv. »In meiner Klasse war ich die Erste.«
Sie sah es wie eine Bewegung über das Gesicht der strengen Dame huschen, den Entschluß, diese Selbstsicherheit bei einem jungen Menschen zu brechen.
Nicht alle sind im Kloster zur Geißel des Nächsten gewor-

den. Es gibt anbetungswürdige Fürbittende Fräulein, die wahrhaft christlichen Seelen, die niemand was zuleide tun und Gesichter der holden Tugend in den weißen Ohrenhäubchen tragen.
Da ist das Krankenfräulein Ephebia, die Opferseele, die einen Duft innerer Reinheit um sich verbreitet und ganz im Sinn des heiligen Franz von Assisi lebt.
Ungezählte Male im Tag bringt sie mit leisem Klirren das Tablett mit der Krankenkost über vier Treppen ins Eckzimmer im vierten Stock. Der Weg aus der Küche ist weit, sie spürt ihn gar nicht, weil sie ihn nicht spüren will. Wenn sie über den Hof geht, setzen sich die Tauben auf ihre Stiefel und lassen sich tragen.
Jedem Bedürftigen bietet sie ihre demütigen Dienste an. Sie ist sich nicht zu gut, ein angerostetes Rosenkranzkreuzchen, das man ihr anvertraut, wochenlang in der Rocktasche zu tragen. Das ist nun ihre gottgefällige Eigenschaft, durch ihre Körpernähe vertreibt sie den Rost an kleinen Gegenständen und macht das Metall wieder blank. Sie spricht unbefangen davon. Sie ist Gott dankbar für alle seine Gaben.
Friede und Sicherheit gehn von ihr aus. Sie ist bescheiden, doch sie setzt sich niemals herab. Auch mit dem Wenigen, das sie hat, darf sie dem Herrn im kindlichen Glauben dienen. Ihr schwarzer Rock ist vom Alter ein wenig grün, aber sie ist immer adrett. Sie strömt eine solche Reinheit aus, daß sie alles um sich herum rein macht.
Der Winter ist vorbei. Für die Zöglinge entstehen mehr Möglichkeiten, sich auszubreiten. Sie dürfen im Freien lernen, im grünenden Garten, werden nur zu den Tischzeiten, zur Schule und zum Abendgebet mit der großen Glocke gerufen. Die Spannungen schwinden.
Die Fürbittenden Fräulein haben einen riesigen Garten, in dem neunzig Zöglinge mit lauter Stimme alle deutschen Kaiser nach Karl dem Großen lernen oder sonst was lernen, ohne sich allzu störend in den Weg zu laufen. Die Pfade sind verschlungen und zahlreich. Gelegentlich geht die Auf-

sicht durch und wirft einen scharfen Blick auf das Buch in der Mädchenhand. Sie betet in einem Brevier.
Es gibt Sommeruniformen aus winzig kariertem Kattun, die bis zum Ansatz des Halsbeins ausgeschnitten sind. Fräulein Ladwiga schreibt um Strohhüte zum Fabrikanten nach Berlin. Die Größeren dürfen sich ihre Kopfweite zuerst heraussuchen.
Linchen hat sich umgestellt. Nachts weint sie nicht mehr. Sie ist jetzt in Gruppe III bei den Großen und hat einen so brennenden Wissensdrang, daß sie Griechisch als Wahlfach nimmt.
Es ist verboten, für jemand zu schwärmen. Alle schwärmen in der Internatszeit einmal, die einen für einen Lehrer, die anderen für die Prinzessin Helene, die von der Oberin Stunden erhält in Geographie und einen Hut wie ein weißes Wagenrad auf dem feingeformten Kopf trägt. Wenn sie über die Treppe geht, hält sie sich so gerade, als sei sie verzaubert in einen Elf. Ihre Anhängerinnen versuchen es ihr nachzutun; bei ihnen wird es steif, sie sind eben nicht verzaubert.
Einige schwärmen sogar für die Aufsicht und suchen den Schleier, der sie im Vorbeigehn streift, zu küssen.
Was kann Linchen passieren? Sie sagt sich vor, bis der Zeiger auf drei steht, weiß ich diese Seite französische Vokabeln auswendig, und sie weiß sie auswendig. Sie übersetzt ihren Curtius in der kürzesten Zeit. Sie liest einmal schnell die Seite herunter, dann schlägt sie die fehlenden Worte im Stowasser nach, ihr fehlen nur zwei oder drei.
Sie sieht vielleicht die rote Meta in der vordersten Reihe der Fürbittenden Spazierschlange wandern, die einzige, die einen grauseidenen Staubmantel hat. Daß eine Neue da ist, fiel Linchen erst vor kurzem auf. Sie hat wichtigere Dinge zu denken. Ihr Stowasser sieht bei inter intra ganz zerlesen aus, der Stelle, an der sie ihn systematisch aufschlägt und unter das Lehrbuch schiebt. Linchen hat eine ungeahnte Fertigkeit im Nachschlagen erreicht, seit sie sämtliche Worte in die Gruppe vor und hinter intra einteilt.

Nichts hindert sie, ihr eigener Herr zu bleiben. Sie kann in der Abendrekreation auf der Terrasse über dem Klavierhaus stehn, sich von den anderen mit Absicht entfernen, keine aufgezwungenen Bekanntschaften machen. Die Terrasse ist so lang wie eine halbe Straße.

Das Licht der Sterne netzt ihren züchtigen Scheitel. Tränen treten ihr in die Augen, als der Wind leise ihr Haar anhebt. Er zieht sie noch zu den Sternen. Sie kann unter diesem Heben die Fersen vom Betonboden lösen, ohne eine Anstrengung zu bemerken. Sie starrt in die flimmernden Himmelskörper. Etwas legt sich in sie wie eine magische Speise, die nicht weniger wird. Sie ist imstande, sich von diesen weißen, roten und grünen Strahlen, von diesen guten und bösen Strahlen zu nähren. Sie lächelt. Das leichte Sausen ist über ihr, der offene Raum. Die Sterne müssen flimmern, bildet sie sich ein, weil sie mit uns in Verbindung treten wollen.

Andere begnügen sich damit, wenn sie mit dem Finger zeigen und einen Namen nennen. Das ist die Wega, sagen sie. Das ist die Beteigeuze. Du findest den Polarstern, indem du von den beiden unteren Sternen des Großen Bären in derselben Richtung fortgehend fünfmal den Abstand verlängerst.

Jede trifft es einmal, dann geht sie wie in Trance und sieht nicht die Mängel. Es gibt einige, die sich mit verschlossenen Augen im Lokus einsperren, um dort ein Gedicht zu schreiben.

Jede trifft es auf ihre Weise, zu schwärmen. Die Schwäbin Bella z. B. ist dazu verdammt, aus Liebe Suppe zu essen, weil Ursula aus Berlin am Tisch sitzt und vorgibt. »Kannst du noch?« fragt Ursula über den ganzen Tisch herunter, um sie auf die Probe zu stellen. Bella reicht mit heroischer Gebärde den Teller zum neunten Mal nach oben und erwartet ihn mit Augen, die wie Augen von feurigen Rössern blitzen.

Auf der Baufläche, wo in späteren Jahren die Kirche hingebaut wird, liegt hinter Gebüsch ein aufgeschütteter begrünter Hügel. Er hat Linchen in den ersten Klostertagen geholfen, als sie heimlich Graupen in die Serviette schöpfte und sie unbemerkt ausleerte zwischen den Büschen. Mitten auf dem Hügel steht eine kurze Säule, niemand weiß zu welchem Zweck. Für die Zöglinge ist sie zum Opferstein geworden, an dem feierliche Handlungen vor sich gehn. Hier wird Schweigen gelobt. Freundschaften werden gebunden und getrennt.

In der Abendrekreation werden Bibliotheksbücher ausgegeben. Bereits abgefertigte Mädchen drücken sich im Hof herum, ausnahmsweise ohne Aufsicht. Jemand sucht Linchen. Linchen ist bisher mit den anderen stehend auf einem rasselnden Karren über den Kies gefahren, eben war sie noch hier. Ist sie dort nicht im Zwielicht?

Man sieht Linchen schamhaft vom Opferstein zurückkehren. Sie hat dort fast nichts getan, war nur eine Minute weg. Sie hat bloß am Stein hinter den Büschen die Hand hochgehalten und mit deutlicher Stimme geschworen, sich zu verschwenden.

Wie so leicht vom Kopf bis zu den Zehen kann ein Mensch von seiner unglücklichen Liebe werden!

Linchen läuft nur mehr über Treppen, sie kann nicht länger langsam gehn. Sie hat den schottischen Schal wie ein Ausrufezeichen über die rechte Schulter geschlagen und balanciert in einem strömenden Gefühl der Verzückung ihren hohen Stoß von Lehrbüchern vor dem Magen. Sie darf mit all diesen Büchern jeden Tag vom Klassenzimmer ins »Museum« eilen.

»Das ist nicht der Zweck dieses Schals,« sagt Fräulein Ladwiga und hält sie im Schwärmen auf. »Der Schal ist zum Wärmen bestimmt, wenn die Zöglinge abends über den Gang gehn.«

Die rote Meta hat sich an jemand anderen angeschlossen, an Tutti vom hohen Adel. Ihre Augen sind nicht ausgerechnet auf Linchen gefallen.

Soeben sehe ich den Zipfel deiner schwarzen Kleiderschürze um die Ecke verschwinden, himmelt Linchen. Es ist Satin, für mich von Engeln gemacht, für mich kein gewöhnlicher Satin.

Ich danke dir heiß, daß ich dich von weitem erblicke, wenn auch deine Augen nicht fortwährend auf mich fallen.
Am Mittwoch, zur Privatzeichenstunde, darf Linchen allein aus dem Kloster hinaus. Jetzt schlüpft sie eine Viertelstunde zu früh durch die Pforte. Die Schwester Pförtnerin kann gerade noch hinstürzen und sie am Ärmel fassen.
»Du mußt hierbleiben bis zwei Uhr, sonst wird dir deine Erlaubnis entzogen.«
»Ist es nicht zwei? Bitte, Schwester, lassen Sie es mir durchgehn, ich muß für eine Verwandte in Rosenheim Perlmutterknöpfe einkaufen, sie hat mir ein Muster geschickt, solche bekommt sie in Rosenheim nicht. Ich muß das noch vor dem Zeichnen tun. Schwester, melden Sie mich nicht! Ich bitte Sie aus ganzem Herzen.«
»Dies ist das einzige Mal,« sagt die Schwester und läßt sie kopfschüttelnd ziehn.
Linchen läuft um die Anstaltsmauer herum mit ihrem Feldstuhl, er klappert gegen das Zeichenbrett. Linchen denkt, ich will sagen, besonders schöne, Herr Gärtner, sie sind für einen Kranken!
Die rote Meta hat nur für eine Minute ihren Platz im Schlafsaal verlassen und sich ein frisches Taschentuch aus dem grünen Kasten mit der weißen Nummer geholt. Dann lagen Rosen auf ihrer Bettdecke hinter dem Wandschirm, kein Name dabei.
Linchen Geier muß natürlich, wenn sie die Neuigkeit erfährt, ihr Mundglas zerbrechen. Sie läuft feuerrot an und kann nichts dafür.
»Warum starrst du mich so an, das ist ja gräßlich,« sagt Meta. Ihre Stimme kratzt ein wenig, wenn sie verlegen wird. »Warst du es vielleicht?«
»Ich mußte dir doch was zu deinem Geburtstag schenken.«
»Aber ich habe in diesem Monat nicht Geburtstag.«
»Du kannst sie ja aufheben und pressen.«
»Du hast sicher dein ganzes Taschengeld dafür ausgegeben.«
»Macht nichts.«

»Ich habe gehört, du verbrennst wie ein Licht,« sagt Tutti und schlägt Linchen im Vorbeigehn burschikos auf die Schulter. Tutti vom alten Adel nimmt sich kein Blatt vor den Mund. Sie ist beliebt wie ein junger Elefant.
Dann fährt Meta nach Wien, um ihre neue Mutter kennenzulernen. Sie steht in grauen Handschuhen an der Pforte, als Linchen zum Abschied heranstürzt, ihr ein dickes Kuvert in die Hand drücken will. Linchens Stimme versagt.
»Ich kann dir leider nichts für deine lange Reise geben. Aber nimm dies, du sollst es lesen. Ich habe seit Wochen daran geschrieben. Das sind alle meine Gedanken.«
»Ich darf kein geschriebenes Papier über die Grenze nehmen,« sagt Meta grämlich. »Ich müßte es vor Passau lesen und zerreißen.«
»Dann lies es vor Passau,« sagt Linchen hingerissen. »Du kannst es ja aus dem Zug werfen, es ist handgeschrieben.«
»Dann hast du dir die ganze Arbeit umsonst gemacht. Hast du es wenigstens abgeschrieben?«
»Nein!« Linchen vergeht vor Wonne, weil ihre Arbeit umsonst war. Sie hat die höchsten Töne im Hals.
»Es sollte für dich allein sein. Ich habe nichts anderes diesmal, da bin ich auf den Ausweg verfallen. Und wenn du nur einen Blick darauf wirfst,« sagt Linchen verzückt, »es wird mich in meinen Augen heben.«
Meta hat Linchen einen kleinen Zweig mitgebracht, den sie – grün ist die Hoffnung – mit einem grünen Band innen an Linchens Pultdeckel befestigt. Sie war verreist und hat über Linchen nachgedacht, das anspruchsvolle Wesen in demütiger Entfernung.
»Ich muß mich mehr um dich annehmen,« verheißt sie, und Linchen möchte vergehen vor Scham.
Noch jemand hat über Linchen nachgedacht, über ihr gefährliches Wesen.
Es klopft am »Museum«. Meta wird auf den Gang hinausgerufen zu Fräulein Matutina.
»Ich mußte hören, daß Linchen Geier eine krankhafte Nei-

gung zu dir gefaßt hat. Hast du schon einmal über die Gefahren solcher Leidenschaften zwischen jungen Mädchen nachgedacht?«
»Ich habe an ihrem Benehmen nichts Anstößiges bemerkt,« sagt Meta, ihre Stimme kratzt ein wenig. »Ich würde so was nicht tun.«
»Hat sie dich wirklich nie geküßt oder versucht, dich an ihre Brust zu pressen?«
»Aber nein,« sagt Meta betreten.
»Das beweist nicht, daß ihre Vorstellungen immer ganz unschuldig sind. Jedenfalls ist die Neigung krankhaft.«
Meta, die heimliche Streberin, blickt der Aufsicht gespannt in die Augen.
»Ich bitte mir aus, daß das zwischen euch aufhört. Du hast in letzter Zeit einen schlechten Eindruck auf mich gemacht. Jetzt wird dir Gelegenheit gegeben, den Eindruck zu verwischen.«
Meta fingert an ihrer schwarzen Schürze, als wolle sie in den Falten nach einem Gedanken graben. Dann wird sie entlassen.
Nun kann die heimliche Streberin den Willen zur Besserung zeigen, indem sie Fräulein Matutina die Hand gibt und sich für die Warnung bedankt.
Linchen näht im »Museum« Nummern in ein neues Taschentuch, sie hat die neununddreißig.
»Du mußt noch ein Buch von mir haben,« fordert Meta vergrämt. »Ich will mein Buch wieder. Du sollst mir alles herausgeben, was du von mir hast.«
»Du bist so verändert.«
»Ich kann nicht fortwährend gleich sein. Was ich sagen wollte, du sollst nichts mehr für mich schreiben. Ich werde es nicht besehn.«
In Linchen steigt eine Ahnung auf, Meta will sie vielleicht für die Dauer von einigen Wochen meiden.
»Ich soll dich ausreißen aus meinem Herzen?«
»Es ist krankhaft,« sagt Meta feig.

»Es ist schön,« sagt Linchen.
»Aber nur für dich.«
»Ich weiß, wem ich das zu verdanken habe. Wenn du darauf eingegangen bist, kann ich dich nur verachten.«
Das Wort von der Verachtung ist gefallen. Alles ist entschieden. Noch vor kurzem hat man ihr einen Zweig verehrt. Das Band war grün.

Für Frieda fügt es sich nicht schlecht, daß sie in diesen Wochen die Vaterstadt bearbeitet. Tagelang macht sie das Bahnhofsviertel, die Kolonie, das Industrieviertel und die Altstadt unsicher. Nicht so ununterbrochen, daß sie nicht Zeit für einen gewissen Laden in der Donaustraße findet, wo der Gillich im Namen der Mutter hinter dem Ladentisch steht.
Wenn Frieda eigens einen Abstecher tut, um ihn was verdienen zu lassen, kann Gustl nichts dagegen machen.
Und doch kann er was machen.
Er kann die Feinheit zeigen und sich gegen die Bezahlung sträuben.
»Steck das ganze Geld wieder ein, geschwind. Die Zigaretten gehen auf mein Konto.«
Frieda wirft den Kopf zurück und besteht darauf, die Zigaretten zu bezahlen. Sie wird sonst keinen Fuß mehr in diesen Laden setzen.
»Ich kann doch von dir kein Geld annehmen,« sagt er gequält.
Die Entscheidung darüber muß er schon ihr überlassen.
Sie verstehen einander gut. Jetzt ist der Moment, wo es darauf ankommt.
Entweder hat Frieda das Recht, hier wie ein Kunde zu kaufen und ohne Scheu von seiner Zeit Gebrauch zu machen, dies lächerliche Recht, oder sie muß sich jedesmal was schenken lassen. Das heißt, daß sie draußen bleibt, um den Anschein von Bettelei zu vermeiden.
»Mir scheint, du willst eine Ladensperre über mich verhängen,« sagt Frieda.

Nun kann Gustl doch nicht gehetzt nach der Tür blicken und sie darauf aufmerksam machen, daß der Laden ihm nicht gehört, daß jederzeit der natürliche Besitzer eintreten kann. Frieda würde seine panische Angst übertrieben finden.
»Im Gegenteil, ich habe dich aufrichtig entbehrt,« sagt Gustl bewegt. »Aber bitte, willst du nicht nach hinten kommen?« Freigebig hebt er seine Ladenklappe hoch.
Mit der Erlaubnis auf fremdem Terrain ist Gustl vielleicht zu weit gegangen. Nun muß er es darauf ankommen lassen. Er staubt den Stuhl im Winkel ab, und Frieda faßt dies als eine Aufforderung zum Verweilen auf. Sie macht von dem Stuhl Gebrauch, ja leider oder sie sei gepriesen.
Darauf fühlt sich Gustl offenbar von seinem Mut übermannt. Er rennt im Laden hin und her wie die wilde Hummel. Er reißt die Ofenklappe auf, um sich Bewegung zu machen, und bricht zähnefletschend verschiedene leere Zigarrenkisten über dem Knie ab. Es scheint, er will damit die Flammen nähren, bis sie hochauf schießen.
Frieda schaut ihm eine Weile sprachlos zu. Das hat man sich angetan aus Fleischeslust. Nun kann sie vom Anblick nicht lassen.
Er könnte es ihr leicht machen und sich dicht neben sie pflanzen, daß sie nur den Arm auszustrecken braucht. Statt dessen stellt er sich an den Ladeneingang und prüft für alle Fälle, ob man Frieda von hier aus erspäht. Weil sie nicht ganz unsichtbar ist, schiebt er den seitlichen Aufbau von Reklamefiguren dichter zusammen.
»Lieber wäre es mir, wenn ich mich nicht verstecken müßte,« sagt Frieda.
Das ist weibliches Gerede. Man kann Manches wagen, muß jedoch Vorsichtsmaßregeln treffen.
»Da will einer herein, halt dich still,« sagt er halblaut. Kaum bewegt er die Lippen.
Der Kunde setzt seine Zigarre in Brand und geht gleichgültig hinaus. Es scheint nicht in der Luft zu liegen, daß Gustl Gillich Besuch hat.

Nun wird Gustl natürlich keck und seine Gefühle stramm. Er pfeift und tänzelt vor ihr wie der Hahn mit schiefgelegtem Kopf. Er tut einen Seitenschritt, den niemand von ihm verlangt hat und klimpert leichtsinnig mit dem Geld in den Hosentaschen. Dann bietet er ihr eine Zigarette an, nur damit sie sein Zündholz ausbläst.
Unmittelbar danach tut es ihm leid, daß er sie in den Stand gesetzt hat, zu rauchen. Nun kann er zwar immer noch ihren Kopf vor Entzücken gegen den eigenen Magen pressen, aber die Zigarette ist ihm dabei im Wege.
»Zigarette weg!« kommandiert Gustl.
Er will sie ihr gewaltsam entwinden. Unbegreiflicherweise denkt Frieda, daß die Zigarette ein gutes Mittel zu ihrer Verteidigung ist.
»Du willst wohl Propaganda gegen weibliches Rauchen machen,« sagt Frieda.
Seine Augen brennen auf wie tierische Lichter an ihrem Widerstand. Die Äderchen treten ihm heraus. Wie sich seine Gesichtshaut von den gespreizten Äderchen verdunkelt. Er ruckt mit dem Kopf und giert wie ein Tauber. Jetzt sieht er sie starr an und tappt nach ihr mit dem Mund.
Er ist so grotesk, vielleicht hat sie es gern oder verzeiht ihm aus angeborenem Verstand. Und sie kann ja, wenn sie den Mann nicht verscheuchen will, nichts anderes tun als ihn weiden lassen auf ihrem ganzen Gesicht und den geschlossenen Augen. Etwas sammelt sich hinter ihren Lidern, ein inneres Licht, die süße Freude.
Schon will Gustl übertreiben. Seine Finger rascheln unruhig an ihrem entblößten Hals.
»Das ist nicht geplant,« sagt Frieda.
Sie hat eine Wachsamkeit an sich, die ihn einfach krank macht.
Und er kann ja nicht sein volles Geschütz auffahren. Er muß fortwährend durch die Fugen nach der Ladentür linsen und sein Wesen zerteilen. Er ist darauf angewiesen, die

willige Beute im Flug zu rauben; nur ist die Beute nicht willig.
»Mach mich nicht wahnsinnig,« stöhnt Gustl.
Frieda hat natürlich recht. Gustl versucht sie wider sein besseres Wissen zu verleiten.
»Sieh mich an, wie mir die Zunge heraushängt,« sagt er spaßig, »und das ist noch die geringste meiner Qualen.«
Er kann es schon recht drastisch machen.
Friedas Besuche bringen ihn noch um den Verstand.
»Ich werde zu einer anderen gehn,« droht Gustl.
»Das kannst du tun,« sagt Frieda hurtig. »Wenn dir damit geholfen ist,« setzt sie hinzu.
Das ist ja das Unheimliche, daß Gustl mit einer anderen nichts mehr geholfen wäre. Für ihn wäre es nicht die Entspannung.
Die Kanaille, die es darauf anlegt, ihm die Zähne lang zu machen! Warum verschont sie ihn nicht völlig mit den Augenblicken der Liebe? Wahrscheinlich kann sie es nicht lassen.
Sie ist vielleicht nicht so durchtrieben, daß sie mit Absicht handelt. Wenn sie ihrem Instinkt folgt, dann ist das ein merkwürdiger Instinkt, der einen Mann zum Sklaven machen kann, vorausgesetzt daß er nicht abspringt.
Jedenfalls kommt ihm die Seltenheit zum Bewußtsein.
Zuweilen kann Gustl in die größte Verlegenheit geraten. Wenn seine Kameraden nichts Besseres vorhaben, stellen sie sich gern auf eine Zigarette zu ihm herein und wärmen sich auf. Mit diesem System hat Gustl dem Laden schon manchen Kunden zugeführt. Jetzt steht er wie auf Nadeln, wenn sie bei ihm anwachsen und nicht weggehn.
Mit dem Ökonomen von Drenting zum Beispiel passiert es ihm, daß der Biedere die Luft durch die Nase zieht.
»Mir scheint, du bratest Äpfel.« Und dann ruht sein Blick auf der leeren Ofenplatte.
»Ja, aber der Apfel ist schon gegessen,« stammelt Gustl.
Gustl in seinem Drang möchte am liebsten klein wie das Leberblümchen werden und sich im Grase verkriechen, jedoch vermißt er das Gras. Es ist ein Kreuz, was er für einen

männischen Geruch ausströmt, wenn er sich im geringsten aufregt.
Nun hat ja Gustl nichts Unrechtes getan und ist nicht an seiner Gesundheit schuld. Aber sowie der Ökonom draußen ist, sieht er sich gezwungen nach der Tür zu stürzen und damit zu fächeln, um einen Durchzug zu schaffen.
Oder wie mit dem Zeck –
Er ist Schlächtergeselle und arbeitet in der Nebenstraße als ein Mörder an Lebewesen in den erlaubten Grenzen. Jeden Nachmittag raucht er seine drei Zigaretten bei Gustl auf und blinzelt ihm zu aus seinen unverwüstlichen blauen Augen.
Er ist vielleicht als Erscheinung ein wenig derb mit seinem kurzen Unterkörper, seinen Wasserstiefeln und seiner langen weißen Schürze, die wie Packpapier knistert. Aber er greift frisch und stramm nach den Annehmlichkeiten im Leben und wenn niemand anderem hält er bestimmt sich selbst die Treue.
Sie kommen prachtvoll miteinander aus. Sie wissen nicht jeden guten Zug vom anderen, doch über ihre schlimmen Streiche klären sie einander auf.
Diese Gespräche sind ein Kunststück für sich in ihrer Schweigsamkeit. Jeder dreht das Wort dreimal im Mund herum aus angeborenem Geiz, bis er seinem Nächsten den Brocken gönnt.
Wie gesagt, Gustl hat niemals in Mitteilungen gewütet, doch war er nie dieses Rätsel wie jetzt. Zwar legt er die Hände auf den Rücken und wippt. Doch ist sein Behagen gemacht. Er fragt den Zeck nicht aus und tut gerade, wie wenn der Zeck im Laden eine überflüssige Erscheinung wäre. Seit wann? Zwischen drei und vier Uhr am Nachmittag ist dieser Gustl von allen Geistern des Handels und Wandels verlassen.
Dem Zeck bleibt es nicht erspart, um seine Beachtung wie um den Beistand einer Großmacht zu werben. Er gibt sogar die Geschichte von den Schafen preis, die ihm von der Donaubrücke hinuntersprangen und unten in den Drähten hängen blieben, alle dem Leithammel nach, auch wenn der Zeck

bremste und schrie und sich mit dem ganzen Körper über die Herde zu werfen versuchte.
»Das nennt man falsches Vertrauen,« sagt der Zeck, um es anschaulicher zu machen. Er spricht vom Hammel.
Gustl verzieht keine Miene. Und als er bei Zecks Weibergeschichten nur geistesabwesend »So« sagt und niemand zu Geständnissen verleitet, die ihm nachträglich peinlich sein könnten, steht der Zeck vor der neuen Seltsamkeit wie angewurzelt da und schickt seine suchendsten Blicke durch den Raum, um nicht ganz dumm zu bleiben.
Dann sieht er den blauen Faden, er ist in der Mitte gespalten.
Jedenfalls steigt aus dem Winkel hinter den Attrappen ein unbestreitbarer Rauchfaden auf, und wenn die Person, die dort hinten im Verborgenen raucht, sich denkbarer Lautlosigkeit befleißigt, gibt es dafür nur einen Grund auf dieser sündigen Erde.
»Warum hast du das nicht gleich gesagt?« gibt der Zeck mit pfiffigem Blick von sich und verschwindet tolerant. Er weiß, was ihm selber gut tun würde.
Aber ein Kunde, der wie der Zeck täglich kommt, darf sich schließlich und endlich dazu äußern, wenn Gustl fast nicht mehr allein ist.
»Wenn du einen ständigen Schatz hast,« sagt der Zeck neugierig, »dann zeige ihn doch endlich. Sei nicht so geizig.«
»Der Bauer gibt nichts umsonst. Wenn du sie und mich in deinem Wagen zur Italienischen Nacht nach Hagelstimm mitnimmst,« verspricht Gustl, »dann werde ich sie dir zeigen.«
»Im Viehwagen, mußt du sagen. Anders bringe ich meine Leute nicht unter. Wir sind allein vierzehn Metzger.«
Gustl hat nicht erwartet, daß soviel Menschen mit von der Partie sind, jetzt will er nicht mehr zurück.
Da zeigt der Zeck sein Herz gegen die unsichtbare Dame und verspricht: »Ihr könnt euch ja vorne neben mich in den Führersitz drücken.«

Im hellgetünchten Tanzsaal hängen spärliche buntbebänderte Kränze aus Tannengrün und Lampions von der Decke. Die Anordnung ist ein wenig kahl. Ländliche Blechmusik schmettert. Das Licht dringt durch die rauchige Atmosphäre nur noch in flimmernden Schwaden.
Auf den schmalen, strähnig ausgewaschenen Tischplatten stehen Steinkrüge in grauen Rudeln. Dazwischen schwimmen Bierlachen und Zigarettenasche. Späte Ankömmlinge versuchen, Klappstühle in die dichten Sitzreihen zu pressen.
Der Wirt zu Hagelstimm ist ein Leisetreter. Zu seinen schlampigen Händen paßt das bleiche aufgeschwemmte Gesicht mit den blassen Augen und der spitzigen Nase. Grüßend schleicht er zwischen den Tischen umher und hat für jeden seiner zahlreichen Bekannten ein paar wehmütige Worte auf den Lippen, den Ruf um Hilfe. Er kann sich den Ruf leisten, weil er keine Konkurrenz hat am Ort, man ist auf ihn angewiesen. Aber wenn der Konsum seiner Gäste nicht steigt, dann muß er verkommen.
Es gibt Krämerseelen, die den Wirt unterstützen, solange sie sich von ihm beobachtet glauben. Charaktere, die für den Wirt, nicht für die eigene Gurgel spenden.
So einer ist Minze.
Minze fühlt in seinem Innersten, daß jeder Schluck, den sich der Wirt nicht hinter die Ohren schreibt, eine ausschweifende Handlung ist. Er läßt sich unweigerlich sein Bier vom Wirt persönlich kredenzen. Nachher verschwindet er durch die Hinterpforte und wandelt in der Gegend spazieren, um Geld zu sparen. Sein Mantel bleibt drinnen hängen. Er friert wie ein Schneider, fühlt sich jedoch in seinem Gewissen bestehn. Er taucht an der Stätte der Völlerei nur in Perioden auf, um seinen Repräsentationspflichten zu genügen.
Da entdeckt er einen Tisch von ehemaligen Schulkameraden, gehobenen Betriebsangestellten, die mit dem Postauto kamen. Sofort läßt er sich bei ihnen nieder. Sie rücken ungern zusammen.
Minze hat keinen Krug vor sich. Er läßt sich auch keinen

geben. Soll das heißen, daß Minze die ganze Zeit über trokken sitzen muß? Er schielt nach seinen Nebenmännern.
Irgendeinmal sind sie alle vom kleinen Bauern gekommen. Und der kleine Bauer muß sich dazuhalten, um sein bißchen Leben mit dem Korn, der Gerste und dem gelben Raps aus dem Erdboden zu scharren. Manche verlieren darüber das Maß. Ihre Finger werden zu Krallen.
»Laß mich in deinen Krug hineinschaun, wie das Bier bei dir riecht,« spricht Minze und zieht geistesabwesend den Krug des Nachbarn zu sich herüber.
Das ist schamlos, was Minze für einen gesunden Zug hat, wenn er das Bier nicht bezahlt. Dann schmeckt es nicht bitter.
Riechen hat es Minze genannt. Sein Nachbar, der einen anderen Maßstab hat, spricht die Befürchtung aus, Minze sei in den Krug gefallen.
Es wäre überhaupt nichts dabei, wenn die Stunde käme, in der Minze sich revanchiert, seine schwache Stunde. Doch bis jetzt steht kein Tag im Kalender, an welchem Minze sich in Unkosten stürzte, die sich bei kaltem Blut vermeiden lassen. Er sitzt bar an Verständnis nebenan, wenn rings um ihn die Gemüter kochen. So macht er es immer.
Dies und jenes wird gesprochen, das Minze nicht direkt berührt.
Dann langt Minze harmlos nach der anderen Seite.
»Wie schmeckt denn dein Helles, Schorsche?«
Schorsche ist auf die Anrede vorbereitet, weil er seinen Handteller wie ein Habicht über den Krug deckt.
»Mein Helles schmeckt nicht anders wie dein Helles,« sagt Schorsche breit, »wenn du dir eines bestellst.«
Dem Minze in seinem Bann kleben die Finger noch am fremden Henkel. Er blinzelt und fühlt sich vor eine Denkaufgabe gewiesen.
Minze will ja nicht vorschnell handeln. Eine Minute lang ist er bereit zu verzeihen und dem Widersacher seinen persönlichen Segen zu erteilen. Schorsche soll nur auffallend schnell

seinen Fehler einsehn, weiter wird nichts von ihm verlangt. Minze will sich nicht selten wie das Känguruh außerhalb von Australien machen.
»Ihr habt andere Einnahmen wie ich mit meinem Taschengeld,« verlautbart Minze gekränkt. »Ihr werdet einen alten Schulkameraden einmal freihalten können.«
Schorsche antwortet auf diese Weise pampig:
»Wir können immer dann, wenn wir wollen. Und bei dir wollen wir nicht. Weil du meinst, es muß sein.«
Vor der unerwarteten Beleuchtung schließt Minze geblendet die Augen.
Vergebens späht er nach einem Helfer aus. Die nackte Schadenfreude schließt sich um ihn zum Würgring zusammen, zur Riesenschlange mit dem scheußlichen Bauch. Alle, wie sie da sind, nehmen des anderen Partei. Minze kann nicht den Stab schütteln und zu ihm einzeln »O über dich Verlorenen!« sagen.
Man hat ihm einen Prügel über den Weg geschmissen, das ist nicht zu leugnen. Selbst Minze, das Wesen von schwerem Kapé, ist darauf angewiesen, sich beiläufig zu erheben und scharf in die Ecke zu äugen, wie wenn er sich drüben mit jemand verabredet hätte. Er geht weg wie auf Stelzen.
Hinter ihm her tut Schorsche einen ausgiebigen Schluck.
»So – das hat man ihm einmal sagen müssen.«
Schorsche im schlichten Verstand bildet sich ein, daß jetzt, wo Minze die Abfuhr weg hat, Frieden und Freude in die Gemüter einzieht. Aber so schnell ist die Luft nicht gereinigt. Die Schlange will sich nicht ohne weiteres in ihre Bestandteile auflösen. Gift hat sich angesammelt, das entleert werden muß. Sie sucht nach einem neuen Opfer. Schlangenblicke wandern.
Sind es die vierzehn Metzger, die im Viehwagen ankamen und mit herzhaftem Stampfen am Fußboden rütteln? Vorhin haben sie das Scheunentor aus den Angeln gehoben aus purer Lebhaftigkeit. Ist es der Zeck, der, klein und unverwüstlich, seiner Tänzerin den Kopf in die Magengegend stemmt,

einer langen, leidenschaftlich abgemagerten Schönen mit schwärzlichem Flaum auf der Oberlippe?
Ist es Gustl, der im weißen Schillerhemd wie die gelbe Rübe glüht? Seine offene Brust ist noch von der vergangenen Sommersonne braun angelaufen. Er nickt intensiv, wenn er einen besonders schwierigen Schritt macht. Ist es Frieda Geier? Noch ist es nicht Frieda.
Schlangen sind feig. Sie greifen mit Vorliebe den Ängstlichen an, das ahnungsvoll gebundene Opfer.
Jetzt haben sie einen Wehrlosen gefunden, den Wirt, der immer konziliant bleiben muß, um die Stadtgäste, die ihm ihr Geld kleinweis zutragen, nicht zu verscheuchen.
Er hat mit ihnen in der Stadtschule dieselbe Bank gedrückt, sieht aber zehn Jahre älter aus. Er hat behäbige Bewegungen angenommen, um den Altersunterschied zu den gesetzten Jahrgängen unter seinen Stammkunden zu verwischen. Seine Altersgenossen pflegen ihn der angemaßten Würde zu entkleiden und nach dem schadenfrohen Grundsatz zu handeln: Ein Wirt muß sich fast alles gefallen lassen.
»He! Wirt!« Taktmäßig stoßen sie die schweren Steinkrüge auf das Holz. Er naht wie eine gekränkte Leberwurst. Doch kann der Wirt mit dem wehleidigen Gesicht im Ernstfall ein erstaunliches Phlegma entfalten. Er nimmt nichts an. Die Sticheleien und halben Beleidigungen gehen ihm beim einen Ohr hinein, beim anderen wieder hinaus. Er lächelt bläßlich, wenn er hören muß, daß seine Teller nicht ganz sauber sind, sein Bier schlecht eingeschenkt wird, und daß er so geizig ist, seinen Saal statt mit dem Ofen durch die Anzahl der Menschenkörper zu heizen. Seine vagen Antworten sind darauf berechnet, alle Komplikationen zu vermeiden, niemand zu reizen.
»Alles, nur kein Wirt sein!« seufzt er.
Nicht alle Gäste machen ihm auf diese Weise das Leben zur Qual.
Da ist Gustl von einer harmlosen, wohllebigen Art, die in stillem Eifer den Umsatz vergrößert. Er trinkt das Bier zu-

erst, um den größten Durst zu löschen. Dann hält er sich an den Wein, um den Ehrentag des Großkunden aus Hagelstimm von seinen anderen Ausgehtagen zu unterscheiden.
»Kann man bei dir was essen auch?« fragt er den Wirt.
Und wird sich Gustl über den lauwarmen Nierenbraten, die Geschnittene Nudelsuppe, die streng ist im Teig, beschweren? Er nimmt alles mit einem wohlwollenden Naturlaut entgegen. Wie verändert ist er gegen daheim!
»Das ist nicht anders bei den Gescheerten,« stellt er fest. Man könnte die Anpassungsfähigkeit von ihm lernen.
Und als Klagen über den stumpfen Tanzboden kommen, ist er der einzige, der sein Licht nicht unter den Scheffel stellt, sondern in die Küche um eine Stearinkerze rennt. Seht ihn wie einen jungen Hund, in dem die Faulheit noch nicht drin ist, im Kreis laufen und an seiner Kerze schaben! Nun dürfen die Tänzer mit dem erwärmten Stearin an ihren Stiefelsohlen den Boden wichsen.
Hoch lassen sie Gustl leben, der im weißen Schillerhemd wie die gelbe Rübe glüht. Er murmelt vor sich hin und bläst die Backen auf, als wäre ihm schwül, weil er von allen Seiten gelobt wird. Seine festen Schenkel sind mit der Lederhose wie verwachsen und dünsten nach Eisen. Die Lederne hat im Lauf der Jahre eine edle Patina angenommen. Gustl wäscht sie im Mai, indem er sie bei strömendem Regen ins Gras legt.
Wenn die Stunde vorrückt, wird von ihm erwartet, daß er mit schallender Stimme eine Flasche Sekt bestellt, seinen eigenen Sekt, den er im Laden bedeutend billiger haben könnte, und den Bekannten mit dem Spitzkelch zutrinkt, damit sie sich auch einen Spitzkelch wünschen und Sekt bestellen.
Soll sich Gustl nicht frei trinken, wenn in der Blüte seiner Jahre der Wurm an ihm nagt? Längst ist sich Gustl darüber klar, daß er vom Tisch der gesetzten Jahrgänge mit Argusaugen beobachtet wird. Dort sitzt seine Mutter.
Gustl konnte es nicht verhindern, daß Frau Filomena im

letzten Augenblick mit Bekannten nach Hagelstimm fuhr. Am liebsten hätte er abgesagt, um den Zusammenstoß zu vermeiden. So ist also die Kunde von seiner Liebschaft an ihr Ohr gedrungen.

Seine Befangenheit legt sich, als er merkt, daß die Mutter die Auseinandersetzung vor aller Augen scheut. Sogleich nützt er die erzwungene Duldsamkeit aus, um die Liaison zu sanktionieren.

»Du hast ja nichts dagegen gehabt, sonst hättest du dich schon damals eingemischt,« wird er ihr sagen.

Gustl ist nicht so weltfremd, um nicht zur gegebenen Zeit Personen vor gegebene Tatsachen zu stellen. Er tut sich keinen Zwang mehr an. Seine Blicke straucheln, wenn sie in Friedas Augen stoßen. Begehrlich fischt er in Friedas Ausschnitt.

Mutter Mena bleibt nicht stumm an ihrem Tisch. Sie hält mit Bemerkungen über die Lieblingsfrau, die nicht einmal landläufig schön ist, keineswegs zurück.

»Der Himmel weiß, was mein Sohn da für eine aufgegabelt hat,« sagt sie intolerant. »Wenn sie auch hier geboren ist, hat sie manches Jahr in der Fremde verbracht und Berufe gewechselt. Für mich ist das keine Empfehlung.«

Frieda könnte gar nicht diejenigen Eigenschaften aufweisen, um Gnade bei ihr zu finden. Denn wenn sie schlanker wäre, wäre sie eine Latte, wenn sie dicker wäre, ein Faß, und so wie sie eben ist, kann Mutter Mena sie nur mit einer Vogelscheuche vergleichen.

Soll sich Gustl deswegen ein graues Haar wachsen lassen? Er stellt sich taub und zieht es vor, sich an der endlichen Glätte des Bodens zu laben. Er dreht Extratouren mit Frieda an Ort und Stelle, und wenn ihr der Atem ausgeht, hält er inne mit einem pfiffigen Ruck und bleibt auf der Ferse stehn mit aufgespreiteter Sohle, als müsse er sie lüften.

Bei modernen Tänzen benimmt sich Gustl, als ob ihm Figuren nicht die geringsten Schwierigkeiten bereiten. Er tut blasiert und fällt von einem Tanzschritt in den anderen förmlich

aus innerem Zwang. Es gibt Menschen, die beim besten Willen nicht imstande sind, das ihnen Angeborene falsch zu machen.
Gustl kann nicht wie der Schleierfisch sein Weibchen mit flatterzarten Knorpeln locken, kann nicht damit wallen. Er könnte es vielleicht, wenn er genügend Zeit gehabt hätte, sich vorzubereiten. Es hätte ihm bloß tausend Jahre früher einfallen müssen.
Was tut er, wenn die Manneswerbung ihn über sich hinaushebt? Er trägt seine aufgekrempelten Ärmel mit barbarischer Pracht und schillert von Fähigkeiten in allen Farben.
»Lang her,« sagt er, wenn es die Laune ihm eingibt, und wirft den Muskel durch seinen Arm wie eine donnernde Säule.
Dieser Gustl in seiner freudigen Unrast möchte aus der eigenen Haut wie aus einem Handschuh schlüpfen, und da er nicht fortwährend über das ganze Gesicht erglänzen kann, bewegt er sich, als lasse er eine Kugel von der Halsgrube in die Armbeuge rollen. Und das ist noch gar nichts. Er könnte sich am eigenen Kragen hochheben und schütteln!
So gibt er seine Wonne den Augen der Menschen zum Fraße, bis ein fremder junger Mann auf Frieda zutritt und sie zum Tanz auffordert. Seine Blicke nähen Stiche in ihr Gesicht. Frieda schüttelt betroffen den Kopf.
»Sie werden mir doch keinen Korb geben, wenn wir uns schon kennen,« sagt er, »Kollegin.«
»Nicht daß ich wüßte,« sagt Frieda pikiert.
Der junge Mann unternimmt es aus reiner Niedertracht, Friedas Gedächtnis zu schärfen, und erinnert sie an ihre Panne auf der Landstraße und einen gewissen Rheinischen Hof, wo Frieda zum Kotzen zumute war.
Frieda sieht abweisend aus, als ob man ihr die Existenz Rheinischer Höfe auf ihrer Tour zunächst einmal beweisen müßte.
»Kaum,« sagt sie kühl. »Selbst wenn da eine Bekanntschaft wäre, würde ich sie nicht erneuern.«

Gustl hält den Augenblick für gegeben, sich als handelnde Person einzuführen.
»Das ist meine Tänzerin,« ruft er und zieht Frieda mit sich weg.
Da muß dem Fremden doch einleuchten, daß Frieda und ihr Begleiter sich im Zustand der Verteidigung befinden.
Soll ein kleiner Zwischenfall den Verliebten in seiner freudigen Entfaltung stören? So dick kann es jetzt gar nicht kommen. Gustl fühlt sich so sehr im siebten Himmel, daß er sich in Trab setzen und dreimal um das Haus rennen könnte. Er säuft sich toll und voll, bis er überschwappt. Ungezählte Male muß er sich nach dem Örtchen begeben. Breitbeinig steht er im Hof und sendet einen gelben Strahl aus, den er leichtsinnig mit dem Zeigefinger knickt.
»Das ist besser wie Honig,« prahlt er.
Ihm wäre besser, wenn er weniger in Sinnenfreude schlemmte und dafür den Fremden nicht aus den Augen ließe.
Denn jetzt spricht der junge Mann unbekannterweise Frau Filomena Gillich an.
»Wenn Sie über die Person, die Sie so lang schon fixieren, das Nähere wissen möchten, bin ich bereit, Ihnen gewisse Auskünfte zu geben.«
»Ja so,« sagt Mutter Mena desperat. »Von wem reden Sie eigentlich, junger Mann?«
»Von der, die kein unbeschriebenes Blatt ist.«
»Das habe ich mir doch gleich gedacht. Na warte, wenn du mir heimkommst, Sohn!«
Dann geht der junge Mann mit Mutter Mena einen Schritt beiseite, um ihr genau zu definieren, von wem er redet.
Gustls Rausch ist in ein neues Stadium getreten. Er kann sich nicht genug tun in Selbstbezichtigungen vor Frieda.
»Du wirst es nicht glauben,« beichtet er zerknirscht, »aber wenn ich mit einem Mädchen war, bin ich niemals weiter wie drei Schritt vom Weg abgegangen, und es war mir völlig gleich, wie ihr dabei zumute war. Jeder Zaun, die geringste Deckung bot mir den willkommenen Vorwand, um ihre

Reize zu plündern. Und im Winter habe ich sie so gut wie ausgezogen und zwei Stunden im Schnee liegen lassen. Aber ich blieb im Mantel.«

»Das hättest du nicht tun dürfen,« sagt Frieda und macht es nicht schöner, als es ist.

Zum erstenmal in seinem Leben lernt Gustl sich als einen Rohling kennen.

Doch kann er nicht klagen. Im ganzen ist Frieda gut mit ihm und die Aufmunterung selbst. Sie klopft ihm auf den Rücken und läßt ihn an ihrem Halse bereun. Da lodert Gustl in Scham. Es tut ihm so wohl zu lodern, daß er die Vorsicht außer acht läßt. Für ihn ist es das Natürlichste von der Welt, daß er den Beweis ihrer Verzeihung fordert, und Frieda muß wohl, wenn sie einen Sünder sich bekehren sieht, ihre Bedenken begraben.

Denn was ihn zur äußersten Entfaltung treibt, kann nichts Schlimmeres wie Vorbestimmung sein, er blüht ja in allen Fasern. Wie sie durch den Hof gehn, ist ihm zumute, als ob der Schnee unter seinen Füßen schmelzen, als ob die Erde unter ihm pochen müßte.

Und doch hat das Unbekannte über ihm schon die Haare auf seinem Haupt gezählt und ihm ein Bein gestellt. Was klingt mir in den Ohren? könnte Gustl sagen. Ist das ER, der so intensiv an mich denkt?

Gustl merkt nichts, ist ein rüder Patron. Bei den Fässern dankt er Frieda unaufhörlich für ihre Anwesenheit. Ohne zu fragen zieht er sie an sich heran und macht sie haftbar für seines Körpers freudige Signale.

Mutter Mena hat die seltene Gabe, ihre Umgebung ihrem Willen gefügig zu machen. Sie ist wie die Bienenkönigin, um die sich der Schwarm sammelt. Alles gereicht ihr zu ihrer größeren Ehre und Verherrlichung. Darum sind ihre Kinder die schönsten und besten, ihre Arbeitsmethoden die einzig richtigen. Ihre Küche ist ein Palast, in dem sie herrscht vom Aufgang der Sonne bis Niedergang. Sie strahlt eitel Ordnung

und Zuversicht von sich aus und, die ihr dienen, nehmen daran teil, auf daß es ihnen wohl ergehe auf Erden.
Besonders Gustl war ihr Päppelkind. Er verstand es, sich mit ihr zu stellen; er ist ihr nicht auf den Fuß getreten. Er war schlau genug, seine Anwandlungen von Selbständigkeit auf fremden Fluren auszutragen.
In den nämlichen Gustl, den naiven Praktiker in Lebenskunst, der immer gut weg kommt, ist der böse Feind gefahren.
»Die Geier hat meinen Buben verhext,« behauptet Mutter Mena.
Sonst war er schnell kuriert, wenn sie mit den gewissen herabsetzenden Worten seine Flamme kritisierte. Kann man es einem hoffnungsvollen jungen Mann deutlicher sagen, als daß seine Liebste kein unbeschriebenes Blatt ist?
»Das bin ich auch nicht.«
»Das ist nicht dasselbe.«
Gustl hätte jederzeit darauf bestanden, daß es nicht dasselbe ist. Heut läßt er sich nicht darauf ein.
»Ja,« sagt er in Verteidigerstellung, »sie hat allerhand durchmachen müssen.«
Welche Liebesfähigkeit trägt diese haarsträubende Person mit sich herum, daß Gustl von ihr soviel Aufhebens macht wie nicht von den vereinigten Jungfrauen seines Vorlebens zusammen?
Er lächelt überlegen wie jemand, der es besser weiß, wenn man sie schmält. Wenn nur der Name fällt, wird er schon fahrig.
Nichts hilft, nicht die guten und die strengen Worte, auch nicht der Drudenfuß, den Mutter Mena auf Gustls Kammertür malt, geschweige das klipp und klare Verbot, sich mit Frieda zu treffen. Gustl wird nicht verstockt, aber wehrhaft.
In seine Lebensliebe will er sich nicht hineinpfuschen lassen. Eine Düsternis ist in seinen Zügen, der männliche Ernst. Er prägt je nachdem besonnene oder rasende Worte. Er hat sich

zeitlebens nützlich gemacht, war nicht das geringste Rad im Geschäft seiner Eltern. Gustl kennt recht gut die drangvollen Momente, in denen man nicht ohne ihn auskommt. Darauf fußt er zum erstenmal. Diesmal läßt er es ankommen auf Biegen oder Brechen.

Jede Nacht, wenn Frieda nicht auf der Tour ist, streunt er mit ihr im Wald. Er macht eine süße Gewohnheit daraus, mit ihr zusammenzuwachsen. Sie muß wohl die Botschaft, die er ihr bringt, als Rettung aus einem untragbaren Zustand empfinden, sie träumt nicht weniger davon wie er. Sie hängen zusammen wie die Kletten, und Gustl muß in sein Zimmer durchs Fenster einsteigen, wenn Mutter Mena die Sperrkette vormacht.

Ist das nun ein Zustand?

Mutter Mena muß ihr Verbot zurückziehn, damit die Autorität nicht fortwährend Schaden erleidet.

Sie tut es mit schwerem Herzen, sie hat schon mehr vom Leben gesehn. Sie wittert, wenn ihre Jungen in eine Sackgasse laufen, und setzt sich zur Wehr. Ihr Widerstand sollte heilig sein.

Doch kann sie es nicht verhindern, daß junge Menschen ihre Erfahrung selbst machen müssen.

Sie hat bei der Gelegenheit sogar einen Brief an die Geier geschrieben, ihn aber nicht abgeschickt, weil er in der Aufregung verfaßt war.

»Geehrtes Fräulein,« schrieb sie.

»Von Ihnen haben wir schon viel gehört, es dürfte auch Zeit sein, daß wir uns kennenlernen, aber von uns kann das nicht ausgehn. Denn mit unserem Buben geht das nicht mehr so weiter. Er wird so zerstreut und fahrig, daß er das Geld nicht mehr kennt. Sie werden selbst wissen, was das für einen Laden bedeutet, wenn man falsch herausgibt. Und mit den fünfzig Mark kann ich mich nicht beruhigen, denn in der Kasse fehlen genau fünfzig Mark. Darum kann es sich nur um einen Schein handeln. Und ich kann sie nicht auf mir sitzen lassen, denn ich bin zu vorsichtig, mir passiert sowas nicht. Aber wenn ich dafür herhalten muß, wäre es mir lie-

ber, wenn ich in meinem Laden keinen Sohn mehr habe. Darum kann ich Ihnen nur mitteilen, daß Sie es jetzt geschafft haben, Sie haben den Buben verhext. Früher war er ja immer recht, aber dann kommt eine und nimmt ihn weg. Sie werden schon sehen, wohin es führt. Auf seine Mutter hört er sowieso nicht und wird grob und ist das kein gutes Zeichen, wenn einer diesen Ton gegen die eigene Mutter einreißen läßt. Wenn Sie auch wer wären, würden Sie meinem Sohn beibringen, daß er von seiner alten Mutter manches schlucken kann, ohne daß ihm deswegen ein Stein aus seiner Krone fällt. Darum bleibt er eben doch das eigene Kind und das letzte Kind und kann durch niemand ersetzt werden. Das wäre ja traurig, wenn Sie das nicht täten.
Hochachtungsvoll Filomena Gillich.«

Ihre Feder sträubt sich, wenn sie den Umweg ins Schriftliche nimmt. Mündlich kann sie das, was sie in Wirklichkeit meint, viel handgreiflicher sagen.

Sie versetzt ihren Sohn in den Strafstand. Sie verbannt ihn aus ihrem Laden und treibt ihm die holde Schwäche durch harte Arbeit aus den Gliedern. Um sechs Uhr früh stellt sie ihn zum Flaschenwaschen im Keller an.

Die Firma kauft alte Flaschen auf und macht sie wieder blank. Sie braut ihren eigenen Schnaps, den sie in diese Flaschen füllt und im Laden verkauft.

Das bißchen Flaschenwaschen, mögen die Laien sagen. Eins zum andern. Es läppert sich zusammen.

Gustl steht in der bitteren Morgenkälte im Hof, trotz der Wasserstiefel naß bis in die Knochen. Es ist keine Kleinigkeit bei der Temperatur tagaus, tagein ins kalte Wasser zu greifen. Gustl werden nicht bloß die Hände, sondern noch die nackten Ellbogen klamm. Er pfeift darauf und spottet seiner selbst. Gustl hat keine Zeit, wie die Schwalbe zu blicken. Wenn die Flaschenreihen sich lichten, wird er mit der neuen Wagenladung überrascht, er haust sozusagen in diesem Flaschenformat. Mittags löffelt er aus einem Napf sein halbwarmes Essen.

Es kommt darauf an, wie breit der Rücken ist, auf den man lädt. Gustl schafft wie ein Pferd, läßt aber die Liebe nicht aus, den beschwörenden Gedanken in die Ferne. Die Beschwörung hebt ihn darüber hinweg.
Eines weiß er, wenn er Frieda nicht bekommt, heiratet er überhaupt nicht. Wenn er nicht Friedas Patriarchen abgeben soll, entdeckt Gustl in sich kein Talent zum Patriarchen.
»Was hast du geschafft?« fragt die zornige Mutter am Abend. Sonst wurde sie zahm von seinem Bericht. Jetzt gibt sie nicht nach. Sie weiß ihm sofort was Neues.
Nach dem Flaschenwaschen geht es an den Schnapssud, den zähen Papp, der Fäden zieht und mit Sprit versetzt wird. Der Schnaps wird abgefüllt, um in sämtlichen Flaschen zu reifen. Dann wird der Laden gestöbert. Man glaubt nicht, wie der feine Tabakstaub sich in einem Zigarrenladen absetzt.
Dann wird das Schaufenster herausgerissen. Dann wird er in die Vororte entsandt, um für das eigene Fabrikat, an dem am meisten verdient ist, Kundschaft zu werben.
Zwischenhinein macht Gustl den Prüfer, der die Schnapsreife überwacht. Seine Zungenspitze wird für einen Augenblick breit und fährt nach oben, schnappt den Geschmack mit aufgepelzten Zäpfchen, wälzt das Arom um sich selbst.
»Er wird schon rund," sagt er mit Überzeugung.
Gustl muß es wissen. Seine Geschmacksorgane sind scharf ausgebildet durch die Praxis an der Probeflasche.
Ein Befehl jagt den andern. Die Mutter läßt nicht aus. Er soll fühlen, wie es tut, wenn man in Ungnade gefallen ist.
Gustl wartet, bis Gras gewachsen ist über den Zorn. Er läßt es sich nicht verdrießen.
»Deine Liebe ist eine Affenliebe,« sagt Mutter Mena. Und das ist wahr, sie ist der anderen neidig.
Jetzt ist Gustl wie eine schwere Lokomotive ins Rollen gekommen und rollt über alles weg. Es ist nicht Friedas fixe Idee, ein Nest zu bauen, sich darin einzusperren, sondern die seine.
Wenn es nach Frieda ginge, sie würden die längste Zeit bei

der Anziehung der Geschlechter bleiben. Gustl will weiter. Er ist auf das aus, was sie den trüben Satz am Boden nennt. Er drängt nach der ökonomischen Verwertung.
Das ist was Merkwürdiges mit Frieda. Erst war sie aggressiv, nun wird sie zögernd und zieht sich auf sich selbst zurück. Soll das heißen, daß sie wie der Zugvogel Flugversuche macht? Gustl gibt es auf, darüber zu grübeln. Sie ist nur um so hingebender, wenn sie zurückkehrt. Es ist, als wäre sie hin- und hergerissen.
Gustl übertreibt seine Leiden nicht, erwähnt sie nur im Gespräch.
»Sie will mir auch noch das Rauchen einschränken,« spricht Gustl wie im Traum. »Aber das ist ausgemacht. Und soviel wie mir für den Monat ausgemacht ist, kann ich gar nicht verrauchen. Ich soll mich eben bloß abhampeln und nichts dafür haben, seit meine Augen auf dich gefallen sind.«
Er ist erfahren genug, um den Partner über das, was er durchmacht, nicht im unklaren zu lassen. Er trifft seine Vorsichtsmaßnahmen. Der plumpe Fachmann beschwert ihre Flügel. Als ob sich etwas heranwälze, über das sie keine Macht mehr hat, fühlt es Frieda.
Und doch ist es nicht wenig, mit Gustl, dem Kenner der Natur, im Freien zu streifen. Frieda erlebt sie in allen Phasen. Erst ist es die Bank im Nebel, wo sie wie am Ende der Erde sitzen und wo Gustl verlangt, daß sie die Lippen zum Kuß aufeinanderschließen, um nicht heiser zu werden. Dann die Mulde im Acker zwischen dem Straßendreieck. Der Wind trägt abgerissene Stimmen über ihre Köpfe weg wie Vogelgezänk. Der Wind ist föhnig, der Boden noch kalt. Gustl bläst den Zigarettenrauch dicht darüber hin. Er nötigt Frieda, aus einer flachen Flasche einen Schluck gegen Erkältung zu nehmen.
Dann sind es nicht mehr die nackten Besen, an denen vom Herbst her noch vereinzelte Blätter wie Goldstücke blinken. Die Nächte sind nicht mehr kalt, die Zweige von gefalteten Trieben gesprenkelt, grünen Schirmchen, die sich von Tag zu

Tag weiter aufspannen, man sieht sie wachsen. Der nächste warme Regen macht das Laub dicht, schließt die Lücken.
Draußen in der Schütt nimmt die Sicherheit förmlich überhand. Gustl muß nicht mehr wie der Rehbock in sämtliche Richtungen äugen. Er spitzt die Ohren, ob es wo raschelt oder ob ein Vogel auffliegt, mehr tut er nicht. Das Gebüsch ist ihr schützender Mantel, wenn sie wie Adam und Eva ein Luftbad nehmen.
Gustl hat nicht den brennenden Ehrgeiz, den Bewohnern der Flurebene ein Ärgernis zu geben. Er bevorzugt Gegenden, wo Brennesseln wuchern oder ein Wasserarm unliebsame Überraschungen erschwert.
Trotzdem hat er schon an den Ernstfall gedacht. Er entnimmt seiner Hosentasche den Schlüsselbund, legt ihn griffbereit neben sich in das Gras. Die schweigende Drohung feiert Auferstehung in seinem Gesicht, macht es sekundenlang einem Nußknacker ähnlich. Gustl würden einen, dem er daraufkommt, daß er ihm nachschleicht bei seinem nützlichen Tun, schon knacken. Er müßte dem Dreckskerl diese sämtlichen Schlüssel in sein fürwitziges Antlitz reiben.
Und sollte Gustls Tun nicht nützlich sein, wenn Frieda es braucht und rund um ihn die Wesen auf dieselbe lebendige Weise ihr bloßes Dasein loben?
Er steht nicht zurück, wenn schon die Grillen aus Instinkt am eigenen Deckblatt sägen und die Frösche durch den quarrenden Halssack Töne pressen. Gustl ist nicht störrisch im Monat Mai, dies ist sein geringstes Versagen. Er bleckt die Zähne in einer Grimasse des versteinten Genusses, bevor ihm die Sinne schwinden, wird förmlich seines Lebens froh.
Er macht es auf eine siegreiche sportliche Art jedenfalls, nicht im Sinn von Erleiden, sondern von Tun. Er ist herrlich zusammengefaßt und kann mit furchtlos offenen Augen in den Himmel zielen. Sein Brustansatz ist mit dem Muskel bepackt wie ein Vogelflügel. Oh, Gustl hat sich am gedeckten Tisch der Natur nicht wie der arme Lazarus niedergelassen!

Jetzt fühlt er ein Bedürfnis, sich durch das Mittel der Sprache auszudrücken. Gustl ist nicht darauf geeicht, Komplimente zu machen. Er verwendet Himmel und Fixsterne nicht, wenn er die Geliebte bespricht.
»Wenn du so über dich blickst,« teilt er mit, »das hat etwas Hinreißendes für mich, du blickst so tief.«
Das ist das Höchste der Gefühle.
Er ist so gesund, ein Barbar. Er kennt höchstens den Muskelkater, keinen moralischen Kater. Frieda könnte mit den Zähnen an ihm reißen, sich in ihm vergraben. Ja, diese Kur kann Frieda nun zeitlebens haben!
Jetzt fliegen Vögel auf. Gustl, der Jäger, hebt sofort den Kopf. Um diese Zeit wickeln die Vögel die geschlossenen Krallen um die Äste und schlafen. Etwas muß sie aufgescheucht haben. Gustl unterscheidet ein undeutliches Schleifen, dann knackt es hell und wird mäuschenstill.
Ein Mensch ist in der Nähe, kein zufälliger Streuner, sonst würde er nach dem Geräusch nicht warten. Das ist einer, der schleicht sich an.
Frieda spürt, wie Gustl das hellichte Erwachen durch sein Blut rast. Es gibt ihm einen Schlag in den Adern vor hochgradiger Anwesenheit. Schweigend wirft er die Windjacke über Frieda und drückt ihr das Gesicht in das Gras. Er wickelt sich die Schlüssel um die Hand.
Gustl, der Kavalier, bewegt sich mit einigen gebückten, lautlosen Sätzen zur Seite, lenkt den Blick, der in die Lichtung dringen will, von der Gefährtin ab. Drüben richtet er sich auf und strebt nach dem Busch, wo die Vögel aufflogen. Er greift den Anschleicher an.
Er hat die Hose nicht an, fühlt sich jedoch bekleidet durch seinen Zorn. Sein Gesicht verzerrt sich zur Maske des Kriegers. Wenn er einen blutverschmierten Ochsenschädel aufhätte, es könnte kein grausamerer Anblick sein.
Eine männliche Gestalt rumpelt auf, gibt Fersengeld, bezahlt auf ihre typische Art. Gustl verfolgt den Mann bis in die Brennesseln hinein. Hier ist der Verfolgte mit seinen Schu-

hen im Vorteil, und Gustls Gesicht wird flach. Er springt aus den Brennesseln, folgt dem Anschleicher nicht weiter.
»Trau dir her, Schuft!« ruft er ihm nach. »Laß es dir zur Warnung dienen. Gegen mich kommst du nicht auf.«
Der andere ist auf und davon. Gustl flucht und tänzelt im Gras. Wenn sein Vorderfuß nicht so weit vom Mund entfernt wäre, würde er ihn blasen.
So ein Schisser! Rennt, daß ihm die Lunge beim Hals herauskommt. Die Angst langte ihm ja aus den Augen. Gustl möchte schwören, daß der andere keine Zeit hatte, sie zu identifizieren.
Er geht zu Frieda zurück und pfeift, pfeift bescheiden. Er hat nichts vorzuweisen. Ein Erfolg wäre es erst, wenn er dem Spion eine Einreibung vermacht hätte.
»Der kommt nicht mehr,« sagt er patzig, »ich habe ihn erkannt. Ich kann ihn mir vornehmen, wenn es mir paßt. Das war der Scharrer Raimund. Der durchgefallene Student. Von dem habe ich noch nie was Gutes gehört. Das ist mir schon der Rechte.«
Hat er wirklich nichts vorzuweisen? Frieda, die nach ihm tastet, wird munter.
»Was hast du am Fuß? Du bist ja geschwollen.«
»Nichts,« sagt Gustl verächtlich, er lacht sie geradezu aus. »Das bißchen Blasen!«
Ja, dann muß er unwillkürlich den Fuß mit einem Streichholz ableuchten. Da hat ihn nun Frieda mit ihren weiblichen Übertreibungen darauf gebracht.
»Sauber.«
»Mensch, du kannst ja nicht mehr auftreten, jetzt sehe ich es erst.«
»Pah!« Gustl tritt erst recht auf, tritt wie ein Elefant auf, stampft sogar, wenn man es ihm nicht glaubt. Seine Stimme ist nicht wehleidiger wie in den anderen Minuten seines Lebens. Er ist doch ein Sportler.
»Das täuscht beim Zündholz,« spricht er gelassen.
Dann rückt er nach:

»Hier dürfen wir nicht bleiben. Wir könnten eigentlich nach dem Fluß gehn und zur Abwechslung schwimmen, wie wärs? Du mußt bloß mit den Steinen am Ufer obacht geben.«
So kommt Gustl zum nächtlichen Fußbad, ohne daß es auffällt.
Sowie er im Wasser ist, befindet er sich in seinem Element. Er kommandiert wie ein Alter.
»Vorschleichen! Arme ganz vorn lassen, halt, Arme noch vorn lassen! Durchziehn! Grätsche! Die Grätsche weiter! Beine fest zusammenschlagen!«
Er schulmeistert sie in warnendem Ton, gibt den Anschauungsunterricht, wie er ihn gewohnt ist.
»Du mußt dir denken, daß neben dir einer schwimmt, den du nicht leiden kannst und dem du einen kräftigen Tritt gibst. So, das hilft. Ich will dich nicht loben, aber diesmal hast du es nicht schlecht gemacht.«
Für Frieda ist es eine Genugtuung, daß man sich um ihre Bewegungen kümmert.
Er selber brettelt ins Wasser seinen Kraul.
Hundstapper hat man früher gesagt, das war auch nicht viel anders.
Oh, doch war es anders. Gustl grinst wissend, wenn Frieda den Laien verrät.
Das Schlimmste an der Donau ist das Landen, weil die Strömung einen mit großer Wucht an die Ufersteine prellt. Gustl befiehlt Querstellung zum Fluß und daß Frieda feste Blöcke ertastet, nicht solche, die nachgeben und sie mit sich in die Tiefe reißen.
Er wartet unterhalb für den Fall, daß es sie doch noch abschwemmt.

Raimund Scharrer hat haltlose Gesichtszüge, einen starrenden Blick und fortwährend unreinen Teint. Das macht seine Lebensweise. Er schläft zu wenig, nährt sich von gestöckelter Milch, Liptauer Käse und Zigaretten.
Er ist der einzige Sohn seiner angesehenen Eltern in der

Großstadt. Sein Vater hat die Hand von ihm gezogen, seit er wegen ungenügend ernster Vorbereitung zum zweiten Mal durchs Examen rasselte. Gegen das Lernen hat er einen inneren Widerstand.

Seitdem hat Scharrer das Leben von der unangenehmen Seite kennengelernt. Zuletzt war er in Peißenberg beschäftigt in einem Stollen, in dem er auf einer Seite liegend arbeiten mußte und sich bis zum Schichtwechsel nicht umdrehen konnte. Nach drei Stunden kroch man heraus und von der anderen Seite wieder hinein, um nicht einseitig zu werden.

Unlängst ist er auf Umwegen über seinen Vatersnamen draußen in den Spinnerei-Maschinenwerken angekommen. Auch hier muß er den Hilfsarbeiter machen. Seine Bezahlung ist schlecht, weil er nicht organisiert ist.

In ihm ist ein unaufhörlicher Drang, sich zu rächen.

Er hat sich schon die halbe Nacht um die Ohren geschlagen. Morgen früh um sechs muß er antreten, das geht ihn heut noch nichts an. Es ist ihm vorbeigelungen, sich eine Sensation zu verschaffen. Unbefriedigt wetzt er den Damm entlang mit den Füßen im Gras. Er hat schon den ganzen Abend das Bedürfnis nach einem Abenteuer.

Jetzt lungert er am Ausgang der Schütt herum, wartet einen Zigarettenmenschen mit seiner Begleitung ab. Er würde gern den Namen der Begleiterin wissen.

Die beiden bleiben lang aus. Sie sind vielleicht nach dem Fluß hinuntergegangen und kommen erst beim Ruderklub wieder heraus.

Nichts wie Nieten an dem beschissenen Abend. Zuvor hat er eine ergebnislose Fensterpromenade gemacht vor einem gewissen Haus in der Neuen Welt. Er fühlt sich wie ein getretener Hund, als er es endlich aufgibt. Unbefriedigt streicht er nach der Stadt. An der Knabenschule hat er eine Begegnung mit einem Fräulein, das er flüchtig kennt.

»Guten Abend, Fräulein Magenbrot! Ich soll Ihnen einen Gruß von Ihrer Freundin Cilly Werner in Schwanfurt bestellen.«

»Mit der bin ich auseinander,« sagt die Magenbrot sofort.

»Es ist auch einige Monate her, daß sie mir den Gruß an Sie auftrug.«
Kein Wort ist wahr. Die Werner hat nur einmal den Namen erwähnt.
»Ich habe auf dem Weg von hier zum Friedhof mein Taschenmesser verloren.«
Der Scharrer grinst. Die Nacht ist die beste Zeit, um Gegenstände zu suchen. Bis zum Friedhof sind es zwanzig Minuten und ein einsamer Weg. Der Kavalier bittet um die Erlaubnis, sie zu begleiten.
»So spät in der Nacht könnte Ihnen was zustoßen,« sagt er. »Sie gestatten, daß ich rauche.«
Er steckt die kurze Pfeife in Brand, schmatzt überlegen daran mit den kaum getrennten Lippen. Mit einer kurzfächernden Bewegung löscht er das schwedische Streichholz aus und schnippt es weg wie einen Wertgegenstand, dessen man sich unauffällig entledigt. Einer wie er ist über Wertgegenstände erhaben.
Das mit dem Rauchen ist sein Trick. Er verbreitet eine begehrenswerte Stockfischigkeit über sein Wesen und redet mundfaul, mit festgehaltener Pfeife. Die Magenbrot antwortet geziert und sucht weniger intensiv nach dem Taschenmesser.
Sein billiger hechtgrauer Anzug hat einen lächerlichen Streifen. Die Finnen sieht man jetzt nicht. Sein verflecktes Gesicht wirkt im Zwielicht rein. Seine Kaumuskelpartie ist boshaft ausgearbeitet in den mageren Wangen. Ohne zu fragen biegt er auf halbem Weg zum Friedhof nach dem Damm ab, und sie geht mit. Er steigt wie ein Storch. Schon jetzt freut er sich darauf, wie sie auf ihn hereinfällt.
Die Magenbrot, das Flittchen, ist daran gewöhnt, daß man auf sie Übergriffe macht. Sie ziert sich ein wenig und dann nimmt sie es mit. Sie gehn jetzt schon einige Zeit. Sie fängt innerlich zu zappeln an, als er von tausend Dingen anfängt, nur nicht dem einen.
Der Scharrer sucht etwas, einen Weg. Sie sind längst vom

Damm nach der Schütt abgewandert. Er führt sie immer dichter hinein und grinst über seine sorgsam geknüpfte Fliege hinweg. Plötzlich klopft er die Pfeife aus, streckt die Hand hinter sich und zieht sie wortlos ins Gebüsch.

Sie arbeiten sich schweigend durch dichtstehende Weidengruppen, durch Brennesseln, Dornen, durch das zähe Geschling des wilden Hopfens, der hier alles Buschwerk verfilzt. Dann noch einmal durch eine Wildnis von Weiden, durch Schierling und hochstehendes Kraut. Au, Brennesseln schon wieder!

Er hält ihr längst nicht mehr das Gedörn zurück, bis sie durch ist, kriecht voraus auf eine jeder Erklärung bare und perfide Art.

Die Magenbrot kennt sich nicht mehr aus. Sie ist verkratzt, sie hat sich das Kleid zerrissen, sie ist erschöpft vom Kriechen. Dann wird es ihr zu dumm. Wohin will er überhaupt? So ein langweiliger Patzer.

»Hier waren wir schon einmal. Sie führen mich ja im Kreis.«

»Merken Sie das jetzt erst? Ich warte schon die ganze Zeit, daß Sie sich melden.«

Es liegt System in dem, was er sagt. Ihm ist nicht bloß ein Versehn unterlaufen. Das kleine Luder starrt ihn an und begreift nichts.

Bisher hat sie sich eingebildet, ihm einen Gefallen zu tun, wenn sie mit ihm nebenhinaus geht. Zum erstenmal merkt sie, daß sie in der Stunde der Leichtfertigkeit keinen natürlichen Anhang hat. Sie wird so ärmlich, schnupft beleidigt.

Er zieht den Mund faltig, als hätte er in einen Gallapfel gebissen, doch ist es sein persönlicher Triumph. Der einfache Mann aus dem Volk wäre auf so was Gesuchtes niemals gekommen.

Er hat sie absichtlich in die Wildnis gelockt. Es ist mindestens zwei Uhr darüber geworden. Sie ist mit einem Schuh in den Sumpf gelatscht, hat ihr Kleid verdorben und durch die Strümpfe hindurch ihr Teil von den Brennesseln abbekom-

men, und das alles, damit dieser Studierte im zusammengezupften Anzug sie blamieren darf. Er schändet sie förmlich und tut intelligent.
Ihr Ton wird schon schriller.
»Sie wollen ein Studierter sein,« klagt sie ihn an. »Für mich sind Sie viel zu gering. Und überhaupt will ich heim.«
»Sie können ja gehn, wenn Sie wissen, wo Sie sind. Wo ist die Stadt?«
Er läßt sich die Richtung zeigen und grinst.
»Dort ist sie bestimmt nicht. Ich mache Sie darauf aufmerksam, daß ringsum Sumpfgelände uns einschließt. Sie sind schwer auf mich angewiesen, wenn Sie im Lauf der Nacht hier herausfinden wollen.«
»Finden Sie denn selber heraus?«
»Nicht eher, als bis es mir paßt. Und es paßt mir im Augenblick nicht.«
Der Sadist, vorhin bei dem Zigarettenfritzen konnte er laufen. Hier fühlt er sich sicher und tritt. Er ist so unzufrieden und gesucht, hat einen Zusatz Abenteuerlichkeit in den Adern, die den zähen Fluß einer kleinlichen Veranlagung auf eine unstete Art stimuliert.
Sie zuckt die Achseln und schlenkert schnippisch nach dem Busch. Dort spielt sie ihren Trumpf aus.
»Sie brauchen sich nicht so zu haben. Da habe ich schon ganz andere von Ihrer Fabrik gekannt, sogar einen Herrn von der Direktion.«
Er spitzt die Ohren. Ob sie sich nicht übernimmt mit der Behauptung?
»Andere, die dabei waren, wissen es auch.«
Sie prahlt mit einer Sauforgie vom vergangenen Fasching, wo sie alle bis in den Morgen hinein in der Villa blieben.
Ein Gedanke streift sein Hirn, legt ihm häßlich die Zähne bloß. Wortlos streicht er voraus auf dem einzigen Pfad aus der Falle. Sie hastet hinter ihm drein.
Vielleicht hat er an diesem Abend seinen Schnitt für die nächsten Jahre gemacht. Vielleicht nützt er sein Wissen noch

aus. Aber vielleicht war alles dummes Geplapper. Er sucht sie auszufragen. Die Einzelheiten geben nichts her. Die dumme Gans hat übertrieben. Sie verbreitet Neuigkeiten, die keine sind. Er fährt ihr über den Mund. Er ist abgespannt, gähnt, kriecht durch den Schierling.

Auf dem Plan herrscht Stimmung gegen den Gillich, wenn er für keinen Kampf mehr meldet, wenn er nicht mit dem Fuß scharrt vor Ungeduld, bis man ihn aufstellt.
Er läßt auch sonst nach. Hat er sich am freiwilligen Ausschachten unter dem großen Sprungbrett beteiligt?
Diesmal nicht.
Gustl ist schlau geworden. Der Idealismus für den Verein bereitet ihm keine schlaflose Nacht mehr. Er hat diese Aufgabe an die Streitbaren unter den jungen Hähnen weitergegeben.
»Schaut nur, wie ihr selber zurechtkommt mit eurer Lache,« spricht der ernüchterte Sportler.
Einmal hat sie ihm doch recht gut getan, die Lache von vier Meter Tiefe!
Gustl wurde es müde, für einen Verein zu schuften, wo nichts anerkannt wird. Die junge Generation nimmt seinen Schweiß und seine gebrochenen Fingernägel für eine Selbstverständlichkeit hin. Kaum nickt sie schwach, wenn der Gillich vorbeigeht, dieser Gebändigte, dem der Verein ohnehin an sein Herz gewachsen ist. Sie hat sich so sehr an die Langmut und den Eifer gewöhnt, daß sie beide schon nicht mehr achtet. Unter solchen Bedingungen muß selbst der Gewillte störrisch werden und »ich kann auch anders« sagen.
Besonders Riebsand ist ihm aufsässig, der Springer. Der hat es nötig.
Ist er nicht kürzlich vom Waldmenschen aus dem Wirtsgewerbe untergetunkt worden, in Regensburg, genau wie Gustl es ihm prophezeite?
Untergetunkt, aber nicht für ganz abgehängt!
Es hat bloß der kalten Dusche bedurft, um Rih den Mut zur

eigenen Courage zu geben. Rih hat es sich zu Herzen genommen. Er ist nicht mehr der Mann, der an seinem Sieg krankt. Er entwickelt eine höllische Genauigkeit im Training. Um so schlimmer für alle, die nicht mit ihm gleichziehn.
Gustl hat keinen Grund zu feixen, wenn er an ihm vorbeistreicht. Einmal hat er sich dadurch, daß er die Niederlage vorhersagte, nicht beliebter bei dem Springer gemacht. Aber wenn er schon so gescheit ist, muß man ihm raten, seine Prophetengabe auf sich selbst anzuwenden.
Als er sich vergangenen Freitag nach langer Abwesenheit im Turnsaal einfand, kam er bloß für die dritte Riege in Frage, und das war die schlechteste. Mit genauer Not, daß er da noch mitmachen konnte.
Gustl feixt wieder. Er ist nie im Leben ein Turner gewesen mit seiner Gestalt, hat sich keinen leisen Buckel zugelegt, den Turnerbuckel.
Gustl will doch nicht im Ernst auf dem Plan erscheinen zu dem einzigen Zweck, die Turner schlecht zu machen?
Gustl merkt selbst, daß er mit seiner Behauptung zu weit gegangen ist und lenkt wieder ein.
»Ich habe leider keine Veranlagung für den Mehrkampf,« sagt er bescheiden.
In allen Abteilungen wird scharf trainiert. Die Bestimmungen werden eingehalten bis zum Exzeß. Gustl merkt es am Zigarettenverbrauch.
Es gab eine Zeit, in der er selbst die Bestimmungen peinlich durchführte, obwohl niemand ihm glaubte, daß er sie nicht im Punkt Zigarettenrauchen durchbrach. Da war er sein eigener schlechtester Kunde.
Das war damals, als er den anderen jedes beliebige Tempo vorlegen, sie als Vormann zu den härtesten Übungen zwingen konnte. Sie haben ihn in lebendiger Erinnerung, wie er beim Trockentraining einen Überschlag nach dem anderen kommandierte. Er konnte es sich leisten, der Grobian zu sein, der niemand schonte, weil er selbst mit dem strengen Beispiel voranging.

Jetzt ist die Leistung weg, aber die Grobheit blieb. Natürlich hat er recht mit dem Kahn, um nicht Nachen zu sagen.
Natürlich muß der Kahn an der Mauer angehängt und muß ständig zur Hand sein, für den Fall, daß im Wasser was passiert. So ist es in den Vereinsstatuten enthalten. Dessenungeachtet stochert der Nachwuchs damit im Bassin herum und bringt Wellenschlag in die Lache aus reiner Lebensfreude.
Die Kanonen sehen sich das an, wie die Statuten verletzt werden, sie reißen sich deswegen kein Bein aus. Es ist, als ob sie kein Gefühl der Verantwortung in sich hätten.
Erst ein Mann wie Gustl gibt der Sache ihr Gesicht und entdeckt in sich diesen rauhen Ton:
»Aus dem Kahn heraus! Auf der Stelle! Wißt ihr nicht, daß das verboten ist?«
Die Lehrbuben lassen den Kahn mit einer Eile fahren, als hätten sie sich die Hand am Kahn verstaucht. Sie gehorchen aufs Wort dem langjährigen Meister.
Soweit hat Gustl recht und hebt sich mit Pomp vom Abendhimmel ab.
Dann hat er nicht mehr recht.
Ohne eine Miene zu verziehn, setzt er sich selbst in das freigewordene Boot und stößt von der Mauer ab. Er glaubt sich oben auf der Kuppel. Er meint, für ihn gilt das Gesetz nicht.
Murren bei den Kanonen.
»He! Laß den Kahn zufrieden. Der Kahn muß jederzeit an der Mauer festgemacht und gebrauchsfertig sein.«
»Solange ich drin sitze, ist der Kahn gebrauchsfertiger denn je, dummer Kampel. Seit zehn Jahren bin ich als Freiwilliger zur Stelle, wenn wo was passiert.«
Die Antwort trägt ihre Logik in sich. Aber nein, es handelt sich um das Beispiel. Gustl wird wie alle gezwungen, den Buchstaben zu achten. Er ist nicht mehr vom Nimbus des Stars umgeben, der sich ungestraft über Verbote hinwegsetzt.
Früher hätte man das einfach nicht mit ihm gespielt.

Am lautesten schreit ein achtzehnjähriger Bäcker. Er hat den Weltrekord im Brezendrehn, hat Blut geleckt. Er war erst neulich anerkannt in der Bäckerzeitung. Zu allem Überfluß schwimmt er Kraul.
Die Bäcker haben eine gute Veranlagung für die Beinbewegung beim Kraulen. Ihre Beine weisen die Berufsentartung auf, den Drill nach innen.
Jetzt brennt Gustl der Mangel an Ehrerbietung denn doch zu nah am Fell.
»Du sei ganz still,« droht er. »Wer bist du, Bäckerknabe?«
Von neuem wird gemurrt. Seht, die Murrer haben in den letzten Wochen einige Male den Bäcker gestoppt. Sie wissen, was er für eine Zeit macht. Es ist traurig genug, daß Gustl den Plan in einer Weise meidet, daß er nicht einmal informiert ist.
»Wer ich bin, können wir ja gleich ausmachen miteinander,« fordert ihn der Bäcker heraus.
Frenetischer Beifall stärkt ihn. Er hat nur das aufgegriffen, was allen im Sinn liegt. Gustl soll sich hinlegen und zeigen, was er noch kann. Wenn einer die Ehre beansprucht, darf er keine vornehme Zurückhaltung üben.
Gustl könnte trotzdem eine Kleinigkeit vornehmer sein, seinen Verstand gebrauchen. Er könnte einen Termin festsetzen lassen, sich bis dahin ins Training spannen. Wer weiß, was dann noch wird. Jedoch Gustl gebraucht den Verstand nicht. Er nimmt sofort an, wenn das die Stimme des Vereins ist, macht es inoffiziell, legt sich hin. Das Ziel ist der Balken. Achtung, los!
Er hat eine Wut im Bauch, den impetus, der mitunter fehlendes Training ersetzt, nicht immer, nicht in diesem Maße.
Und doch ist Gustl nicht rettungslos verloren, als auf halber Strecke der Bäcker an ihm vorbeizieht. Seine Neider frohlocken zu früh. Der erfahrene Krauler hat sich bloß Weile gelassen, um beim Endspurt anzugeben. Wenn Gustl Zeit dazu hätte, würde er wie der Seehund den Kopf aus dem Wasser nehmen und verächtlich schnauben.
Aber jetzt gibt er an, holt sich den Bäcker, kommt ihm nahe

mit Macht – holt ihn doch nicht. Der Bäcker hat auch noch was auf der Latte, unverhältnismäßig mehr sogar. Das ist die Jugend.
Gustl kämpft wie ein Wilder, weiß jedoch Bescheid. Die Gewißheit macht ihn nervös, er hampelt und strampelt, werkelt und kommt nicht mehr vom Fleck, indes der Gegner sich zügig davonmacht.
Der Bäcker sitzt, triefend vor Genugtuung, auf dem Balken. Er hat Wasser in den Ohren, hört aber recht gut, daß man ihn feiert. Nun hat er außerdem seine Zeit verbessert, man schreit es ihm zu. Mit einem Freudengeheul stürzt er sich wieder hinein und trainiert weiter.
Er ist von der richtigen Sorte, die nicht auf den Lorbeeren ausruht.
»Ich habe vier Tage lang im Keller Flaschen waschen müssen,« murmelt Gustl schwer, erklärt die Ohnmacht in seinen Gliedern.
Niemand hört darauf, wie man sonst seine kostbaren Worte auflas, wenn er nach einem Sieg das Wasser verließ. Onkel Grausam wird er nicht mehr genannt. Jetzt schreit man ihm nach: Alter Hut!
Gustl schaut grimmig um sich, merkt sich den, der sogleich nach ihm tritt. Ausgerechnet Raupe. Gustl bietet ihm an, es selber besser zu machen, und Raupe wird stumm, das ist sein Glück. Er kann sich schwimmend selbst nicht mit diesem Besiegten messen.
Gustl schleicht nach dem Ankleideraum, zieht sich sofort an. Zwischen Hose und Weste stockt er und starrt untätig vor sich hin. Nichts paßt ihm mehr. Was nützen ihm die zahlreichen Plaketten im Kleiderkasten? Ein Haufen Blech. Sie widern ihn unsagbar an. Hätte er sie nie erworben.
Die Bewunderung hat den populären Sohn seiner Stadt wie den Zwiebelschößling in sieben Häute gewickelt. Eine Haut nach der anderen fiel ab, heute die letzte. Er merkt es erst, als sie ihm fehlen. Ihn fröstelt. Merkwürdig leer ist es um ihn geworden.

Jetzt kommt Frieda, die ihn abholt, über den Steg gewandelt. Man weicht ihr nur widerwillig aus, nimmt die Beine nicht weg. Sie muß geradezu über liegende Personen steigen. Sie merkt sofort, daß was los ist.
Sie klopft an den Ankleideraum.
»Bist du fertig, Gustl?«
»Beinahe. Du kannst schon herein.«
Da steht er und quält sich mit dem Hosenträger ab, als ob er sich daran aufhängen wollte.
»Was hat es gegeben?«
»Nichts. Ein Bäcker hat eine hervorragende Zeit gemacht. Die Wahrheit zu sagen, wir haben gegeneinander geschwommen und er hat mich geschlagen.«
»Das ist nichts Unwiderrufliches,« spricht Frieda und schluckt. »Du hast die letzte Zeit fast nicht trainiert. Das reißt du beim nächsten Mal wieder heraus.«
Gustl schüttelt wissend den Kopf, hängt sich in seinen eigenen Niedergang mit aller Schwere des Fleisches. Seine Farbe ist wie der Esel in der Dämmerung grau, schon mehr greulich.
»Nein, Frieda, das reiße ich nicht wieder heraus. Nein, das wird nichts. Mein Stündlein hat geschlagen.«
Frieda hebt den Kopf vor Überraschung, es fährt ihr in die Glieder. Sie sieht ihn plötzlich in anderer Beleuchtung.
War nicht der Sport jene Eigenschaft, die einen tiefen Bruch zwischen ihnen überbrückte? Soll mit einem Mal die Eigenschaft fehlen, der Bruch aber bleiben?
Ach was, Gustl ist niedergeschlagen und läßt den Kopf hängen, weil ihm was gegen den Strich ging.
»Ich bin schuld,« sagt Frieda entschlossen. »Um mit mir zusammenzusein, vernachlässigst du den Sport, daß es eine Art ist. Wir werden uns weniger sehn. Du wirst deine freie Zeit an dein Training wenden.«
Gustl schüttelt wieder den Kopf, hat kein Schmalz. Er ist nicht Nurmi, der das Unglaubliche wahr macht. Er ist Fachmann und nicht mehr.

»Ich kann natürlich noch einmal besser werden,« gibt er zu. »Aber den Vorsprung, den der Junge vor mir hat, hole ich nie mehr ein. Auch er wird trainieren. Jetzt haben die anderen das Schmalz. Mir sind eben bereits Grenzen gesetzt in meinen Jahren. Du spürst es nicht, aber ich spürs.«

Plötzlich geht ihr ein Licht auf, warum Größen dieser Art nie ganz nach oben kommen, sondern Lokalgrößen bleiben. Was sind das für einsame Helden, die dann etwas wagen, solang die Anlagen dafür günstig sind? Ihre Einsamkeit mag, wenn alles gut geht, von starker Art sein, von der stärksten Art ist sie nicht.

Sie haben eine natürliche Einstellung zu Hindernissen, sind erdgefangen. Es muß letztgültigere Kämpfe mit den Grenzen geben. Demosthenes, der stotterte, legte Steinchen unter die Zunge und ging ans Meer und sprach, um nur einen Namen zu nennen.

Dann wäre das, was auf Gustl einschlägt, ein formender Hammer, er triebe die wahre Form erst heraus.

Weiß Frieda eigentlich, wovon sie spricht, sie, die nach der schweren Lungenentzündung sich nicht die ganz großen Anstrengungen zumuten durfte?

Das ist es eben. Ein Traum bleibt ihr versagt. Darum will sie diese Art von Taten in der unmittelbaren Umgebung haben.

Weib, du bist vom Satan, möchte Gustl sagen.

Er sagt es nicht, grübelt verstockt. Er könnte sie, wenn er wollte, noch ganz anders in die Enge treiben.

Wenn er so wäre, wie sie von ihm verlangt, dann würde Frieda für ihn überhaupt nicht existieren. Gustl erinnert sich sehr wohl, daß er in den Hoch-Zeiten der Leistung kein Interesse für ein weibliches Wesen aufgebracht hat. Damals litt er wenig unter dem Zölibat. Er hatte einen vollwertigen Ersatz an der Leistung.

Frieda schweigt darauf, ist für den Augenblick ganz und gar untergraben.

»Du sprichst wirklich ahnungslos,« sagt Gustl. »Wenn ich

dies scharfe Training erneut auf mich nähme, müßtest du mich so gut wie immer entbehren.«
»Dann entbehre ich dich eben und weiß wofür. Das soll mir nichts ausmachen,« sagt Frieda trocken.
Jetzt stammelt Gustl überrumpelt, gibt einen bangen Laut von sich.
»Aber wenn der Kontakt reißt?« flüstert er unwillkürlich.
Er ahnt mit dem Instinkt, daß Frieda, wenn er sie nicht fortwährend durch seine Nähe in Bann schlägt, sich auf die eine oder andere Art doch noch von ihm lossagen könnte. Vielleicht ist es die Angst, die ihn so an sie kettet?
Nicht immer sieht Gustl so klar. Sie hat Vorstellungen von ihm, die sich nicht mit der schlichten Wirklichkeit decken. Es ist unberechenbar, was sie tut, wenn der Nimbus weicht. Dies unruhige Wesen, man muß sich mit jeder Faser darauf setzen, es halten und niederhalten meinetwegen. Man darf es nicht zum Bewußtsein seiner selbst kommen lassen.
Nein, Gustl verschleißt sich im Sport nicht. Er hat genug mit dem bloßen Leben zu tun im unscheinbaren Format, hat die Hände nicht mehr frei. Für ihn sind die Zeiten vorbei, in denen man sein Seil am Mond befestigt:
Jetzt gibt er die Antwort auf ihren Vorschlag, schneidet alles ab.
»Nein, dafür hält man sich keine Frau. Ich will davon nichts mehr hören.«
So wird er ein Geringerer werden in ihren Augen.
Damit stößt er bei ihr auf kein Verständnis, das weiß er. Gustl hat es nicht leicht.
Und doch soll Gustl an diesem Abend nochmal zu Ehren kommen, die er schon nicht mehr erhoffte.
Sie verlassen den Plan, gehen auf einem kleinen Umweg zur Stadt nach der grünen Donau hinunter. Vor ihnen schwänzelt im Kreis seiner Bewunderer der Bäcker.
Da entsteht ein Laufen unten am Fluß, Menschen bündeln sich zusammen und ihr Geschrei.
Ein betrunkener Bauer, der seine Blase entleerte und das

Gleichgewicht verlor, ist in die Donauwellen gefallen. Die Spaziergänger stelzen aufgeregt am Ufer herum, aber niemand springt nach. Der Fluß ist in diesem Teil seines Laufs berüchtigt durch Wirbel. Aller Augen wenden sich nach Gustl, dem Retter, dem Spezialisten in Lebensgefahr.
Schon reißt er die Joppe herunter, hält inne aus unerklärlichen Gründen. Ein Vorwurf löst sich von der bebenden Lippe.
»Sollen doch die hineinspringen, die auch sonst das große Maul haben,« fordert er rauh.
Das geht auf den Bäcker, der es nicht auf sich sitzen läßt. Er springt nach, springt erst jetzt nach.
Daß sich Gustl langmütig am Ufer aufhalten kann, wenn andere ertrinken, ist für sich allein ein Phänomen. Das muß doch ihm, dem Berufenen, in sämtliche Glieder fahren. Der Bäcker hat niemals bei ihm einen Kursus im Retten genommen, Gustl entsinnt sich nicht. Etwas geht ihm ab, wenn er noch so gut schwimmt.
Angespannt steht er da, bewegt lautlos die Lippen. Es scheint, er zählt die Sekunden.
Für die Umstehenden ist dies Zählen ein großer Trost. Es wird schon nichts passieren. Der Gillich kennt sich aus.
Gustl kann nicht in alle Ewigkeit zählen. Er hat seinem Überwinder den Vortritt gelassen. Sträflich lang will er nicht warten.
»Zurücktreten!«
Gustl schlüpft aus der Schale. Jetzt kommt der Mann, der es versteht. Nicht der Schmiedel kommt, sondern der Schmied. Hochauf spritzt das Wasser.
Die Zuschauer nennen die Namen jener, die Gustl schon herausgezogen hat in den verschiedenen Stadien beginnender Abgestorbenheit. Sie unterhalten sich, ohne ihr Seufzen und Trauern im Tal der Zähren zu vereinigen. Sie zeigen wenig Respekt vor dem Tod.
Der Gillich wird die Sache schon schmeißen. Er hat schon winzigere Gegenstände vom Grund heraufgetaucht. Seine

Schleimhäute sind abgehärtet. Er wird die Beiden schon finden.

Und doch setzt auch der Spezialist nicht weniger wie sein Leben aufs Spiel, das bedenken sie nicht.

Jetzt bringt er übrigens den Bauern. Er krallt sich mit den Zehen in den Ufersteinen fest und reicht den Mann, der sich nicht rührt, wie ein Ding ans Land.

»Atemübungen machen!«

»Bleibst du drin?«

»Natürlich. Ich hole den anderen.«

Bange Stille. So weit ist es gekommen, daß man nun auch den gewandten Schwimmer für einen Leblosen heraufschaffen muß. Es dauert seine Zeit.

»Paß auf, sie sind alle beide ertrunken,« schreit eine Frau hysterisch.

Das sind sie nicht. Gustl ist kein solcher Stümper, daß er seinen ärgsten Feind nicht in der Tiefe findet, auch wenn es ihn abtreibt.

Sie sind aus dem Wasser gezogen und werden wieder belebt.

Die Beiden hatten Massel, daß der zuständige Retter in Reichweite war. Sie konnten damit nicht einmal rechnen.

Der Bauer ist plötzlich nüchtern geworden und geht ganz zahm wieder weg. Der Bäcker, dem seinetwegen Wasser aus der Lunge entfernt werden mußte, blickt ihm staunend nach. Jetzt tut der Mann keiner Maus was zuleide. Und doch hat er ihn unten auf dem Grund in eine furchtbare Zange geschraubt, hat ihm, bloß weil er überleben wollte, jede Bewegungsfreiheit genommen.

Der Bäcker reicht Gustl die Hand und könnte sich schämen.

»Wir sind quitt,« spricht Gustl kurz. Dann kann er es sich nicht versagen, dem Anfänger, der keinen Kursus im Retten genommen hat, eine wichtige Lehre zu geben.

»Wenn dich einer wieder so faßt und du kommst nicht los, mußt du ihm einen unheimlichen Stoß oder Tritt in den Ma-

gen versetzen, damit sich der Krampf des Umsichschlagens legt.«
»Aber das ist doch furchtbar grob,« mischt sich die Frau von vorhin ein.
Gustl, der die Notwehr des Mannes unter Wasser aus dem Effeff kennt, sieht voll Verachtung über den zimperlichen Unverstand weg.
»Grobheit ist hier das einzig Wahre. Und wenn er acht Tage mit verstauchtem Magen herumläuft, er wird es dir dennoch danken. Besser ein verstauchter Magen als gar kein Magen.«
Der Gillich geht heim, um seine nasse Hose zu wechseln.
»Wie siehst du denn aus? Ist was passiert?«
»Ach nichts. Ich bin ausgerutscht und ins Wasser gefallen.«
Die Mutter muß die sensationelle Tat erst aus der Zeitung erfahren. Sie ist nicht wenig stolz auf den Sohn. Es weicht ihre Abwehr auf. Sie gibt sogar zu, daß er sich am besten selbständig macht. Dabei war alles so praktisch!
»Wenn es sein muß, von mir aus!«
Den nächsten Laden, der frei wird, und wenn die Lage paßt, den kann der Dickkopf haben.

Die Altstadt hat neun Kirchen, ein Männer- und zwei Frauenklöster. Sie hat vier Hauptstraßen, die genau im Zentrum ein Kreuz bilden. Die beiden Balken sind von einem Stadttor bis zum anderen einen Kilometer lang. Sie hat zwischen diesen Balken ein Gewirr von alten, oft krummen Gassen, die nach Zünften benannt sind oder andere altertümelnde Namen tragen. Sie heißen Am Bachl, Am Lohgraben, Am Pulverl, Auf der Schanz, Bei der Schleifmühle Brunnhausgasse, Fechtgasse, Goldknopfgasse, Griesbadgasse, Höllbräugasse, Lebzeltergasse, Mauthstraße, Neue Welt, Schliffelmarkt, Schloßländle, Schrannenstraße, Taschenturmgasse, Tränktorstraße, Zipfelgasse, Oberer und Unterer Graben. Am Stadtrand gibt es den Probierlweg, den Ruschenweg, den Schießstattweg, die Schinderschüttstraße.
Sie hat einen volkstümlichen Heiligen, dem man nachsagt,

daß er jeden Brand durch dreimaliges Pochen voranmeldet und der seit vier Jahrhunderten durch seine Fürbitte verhütet hat, daß bei einem Brand mehr wie ein einziges Haus in Flammen aufging. Der Heilige liegt in der Unteren Pfarr begraben, Nachbarn haben sein Pochen in der Nacht schon oft gehört.
Die Stadt hat viele Häuser, die schon zur Zeit des Dreißigjährigen Krieges standen. Sie hat einen Moorbach, der teilweise unterirdisch durch die halbe Stadt läuft und an dessen Lauf die Gärtner und Färber sich angesiedelt haben. Sie hat einen breiten Fluß, der nicht schiffbar ist, eine steinerne Brücke für Fußgänger und Lastwagen und eine Eisenbahnbrücke aus Stahl.
Sie hat ein weites Hinterland, das Ackerbau und Hopfenzucht treibt, das aber der Stadt als Käufer mehr und mehr untreu wird, seitdem die direkten Agenten der Industrie das flache Land überschwemmen. Sie hat einen regelmäßigen Viehmarkt, der viel zu oft wegen eingeschleppter Maul- und Klauenseuche gesperrt und an einen anderen Ort verlegt wird, so daß die Kaufkraft des ganzen Landstrichs abwandert. Sie liegt weit entfernt von den Industriezentren des Reichs, zahlt hohe Fracht – und Transportkosten. Sie liegt gefährlich nahe der Landeshauptstadt, deren leistungsfähige Warenhäuser ihren Geschäften durch Prospekte und Inserate systematisch Konkurrenz machen.
Sie hat außerhalb des mittelalterlichen Kerns neugebaute Beamten-, Villen- und Arbeiterviertel, die längst zur Größe der Altstadt angeschwollen sind oder darüber hinaus, die aber durch den veralteten Festungsgürtel, durch den Fluß, das Moorgelände und das selten unterführte Schienennetz unglücklich von ihr abgeschnürt bleiben.
Sie hat Volksschulen und Mittelschulen, eine Gewerbeschule, eine Sonntagsschule für Dienstmädchen. Sie hat zwei Sportvereine, verschiedene Innungen und als lebendigen Überrest aus dem Mittelalter die mächtige Zunft der Schornsteinfegermeister. Sie hat im alten Kern vier privilegierte Apotheken.

Sie hat noch ein paar Stadtbauern, die sich selbst ernähren können, viele ehrsame Handwerksmeister, die von den Fabriken abgewürgt werden, viele kleine Kaufleute, die bereits im halben Angestelltenverhältnis zu den Konzernen stehn mit vorgeschriebenen Preisen, sie hat alteingeführte Qualitätsgeschäfte, die von den auswärtigen Warenhäusern, wenn auch nicht in der Güte, so doch im Preis unterboten werden.

Alle diese Leute, die durch die Inflation ihr in besseren Zeiten erspartes Vermögen verloren, haben ihre Kinder unter persönlichen Opfern etwas lernen lassen. Ihre Töchter gehen in Handelsschulen, kommen als Lehrlinge in Bankbetrieben unter und werden abgebaut, wenn sie ihr volles Gehalt zu beanspruchen haben. Ihre Söhne studieren, werden Ärzte, die sich keine genügend tragfähige Praxis schaffen, weil zu viele sich die Patienten streitig machen. Sie werden Lehrer und nicht ins Lehrfach zugelassen. Sie werden Chemiker, Ingenieure, die in der Heimat keine Beschäftigung finden, weil dort keine Industrie ist, im Reich nur schwer Beschäftigung finden, weil es zuviele Arbeitslose gibt und weil sie weitab vom Schuß leben. Der Massenandrang nach den gehobenen Berufen hat sich in den vergangenen fünfzehn Jahren gerächt. Die akademische Bildung ist in dem Maße entwertet, als sie sich verbreitert hat.

Als Studierende haben die jungen Menschen Jahre in der Großstadt verbracht. Es wird ihnen zu eng in den Verhältnissen zu Hause. Im besten Fall passen sie sich äußerlich an. Aber ein Keim in ihnen, die Unzufriedenheit bleibt, zwingt sie zu einer zerstörerischen Hellsichtigkeit, zu den unwillkürlichen Vergleichen.

Zugegeben, in jedem Beruf kommen die Tüchtigen durch verzweifelte Auswahl nach oben. Aber hier in der gedrosselten Stadt entscheidet oft nur die Beziehung, das Privileg der Kaste, der bloße Zufall, wer zuerst da war.

Das macht es den jungen Menschen so schwer. Wenn man sie damit abspeist, daß sie sich in einer besonders schwierigen Übergangszeit befinden, daß sie ein Massenschicksal erleiden, dann verlangen sie, daß dies Massenschicksal alle ohne Unterschied trifft. Sie stoßen sich daran, daß es die ungerecht Bevorzugten gibt. Sie fallen Gedanken anheim, die wie Keimstoffe in der Luft schwirren und an Anarchie und Verbrechen streifen. Sie spielen mit dem Vorsatz zu irgendeinem gewaltsamen Handeln, sogar um den Preis, daß es nachher noch schlimmer wird, einfach um sich Luft zu schaffen. Die Gemeinschaft hält sie notdürftig in der äußerlich vorgezeichneten Bahn. Aber es schwelt, bald wird es brennen.

Um nicht müßig zu gehn, springen sie in Gelegenheitsberufe ein, zu denen man leicht Zutritt findet, weil man in ihnen schwer was erreicht. Sie werden Reisende, Vertreter von Firmen, Agenten auf eigene Rechnung, immer mit einem Fuß draußen, wissend, daß man sie zum alten Eisen schmeißt, wenn sie verbraucht sind. Ein Härtekrampf bildet sich in den Edelsten unter ihnen, Frieda Geier hat ihn. Sie kennt die seltsamen Handlungen der Verzweiflung.

Die Stadt kann nicht leben und nicht sterben, seit ihr durch den Versailler Vertrag das Militär genommen wurde und alle Zubringerdienste für das Militär samt den Rüstungsbetrieben. Doch weist ihr mystischer Leib, aus den Voraussetzungen des Mittelalters gewachsen, immer noch vereinzelte Schutzinseln auf. Es gibt Familien, die Glück gehabt haben oder in einer Branche sitzen, deren Boden noch trägt. Die Gillichs rechnen sich dazu, wenn nicht alles trügt. Sie haben die derbe Rasse mit dem starken Auftrieb.

Auch sie kämpfen um das bloße Dasein, aber mit einer gewissen Zuversicht. Sie kennen noch den alten Familiengottvater, der sie belohnt und bestraft, je nach der freiwilligen Anstrengung und dem Verdienst. Sie blicken noch nicht einem kollektiven Schicksal ins Auge, das alle gleich arm machen will.

Wenn Entwurzelte auf eine Schutzinsel stoßen, erliegen sie vielleicht der übermächtigen Versuchung, sich fallen zu las-

sen, sich hier zu vergraben, sich blindem Optimismus auszuliefern. Und doch dürfen sie auf der Insel nicht bleiben. Es ist zu spät für sie geworden, sie können nicht mehr das gewöhnliche Brot im Volkskörper sein. Ihnen bleibt nur der Ausweg, sein Salz zu werden.
Eines Tages treibt es sie wieder hinaus. Oder sie zerstören die Insel, wenn sie nicht rechtzeitig sie verlassen.

Dies ist der vierte Tag, seitdem Gustl Gillich, Tabakwarengillich, seinen eigenen Laden am Bitteren Stein aufgemacht hat. Vergangen sind die drei bangen Tage, in denen keiner, der nicht wirklich mußte, über seine jungfräuliche Schwelle trat. Gustl Gillich steht hinter dem Ladentisch in seinem Sonntagsanzug mit weichen Knien. Hat er sich überschätzt? Ist die Lage nicht gut? Hat er sich beim Vertrag hereinlegen lassen? Fünfzehn Schritte von ihm entfernt tobt der Verkehr. Das kann doch nicht wie abgeschnitten sein.
Sie kennen sein Gesicht, jawohl. Sie kennen ihn als den langjährigen Fachmann in der Tabakwarenbranche. Es ist nicht der erste Laden, den er aufgezogen hat in der Stadt. Er hatte schon einmal Glück in der Donaustraße, eine Goldgrube schien es zu werden. Den Laden dort nahmen ihm seine Eltern ab, als der Laden lief, und er mußte es dulden, weil er das Geld von ihnen hatte. Er würde den Laden doch einmal bekommen.
Aber jetzt war er zum Mann erwacht und wollte nicht mehr darauf warten, bis sie gestorben waren.
Man darf nicht verlangen, daß die Leute nach drei Tagen einen neuen Laden mit Gewalt auskaufen wollen. Aber sie sollen ihn auch nicht schneiden. Vielleicht ist gar keine böse Absicht dabei. Was läßt sich von der entmilitarisierten Stadt mit neunundzwanzigtausend Einwohnern und zehn Prozent Arbeitslosen anders erwarten?
Dann sind es die Arbeitslosen, die Gustl Gillichs, des Schwimmphänomens, Knie so weich machen?
Ach nein, nicht nur diese.
Die Menschen sind ja Steine.

Die Knie sind hinter dem Ladentisch versteckt. Sichtbar ist nur die obere Gegend des Sonntagsanzugs und auf dem kleinen eisernen Kopf sein rechtschaffenes Lächeln.
Gustl lächelt rechtschaffen von sieben Uhr morgens bis sieben Uhr abends und steht dabei auf ein und demselben Fleck vor atemloser Erwartung. Er ist übertrieben bereit zum Empfang.
Sind denn die Menschen wahnsinnig, daß sie nicht eintreten, um sich anlächeln zu lassen. Für jeden einzeln würde er sich ja zerreißen. Besitzen sie die Schamlosigkeit, überhaupt nicht einzutreten, nicht einmal mit dem Fuß?
Dann wird ihnen zur Strafe entgehn, wie Schwimmgustl in seinem Käfig steht wie angenagelt, sich gar nicht mehr hinsetzt aus einer neuen Frömmigkeit für den Handel und Wandel. Er macht sich müde und weiß nicht für wen. Diese Ehrerbietung vor dem abwesenden, ja vor dem imaginären Kunden ist die letzte Errungenschaft von Gustl, dazu gemacht, um Steine zu erweichen.
Mag denn sein Eifer hinausstrahlen ins All, in dem nichts verlorengeht.
Oder ist es notwendig, daß er den menschenleeren Laden schon um sieben Uhr in der Früh für den säumigen Kunden bereithält?
Alles ist notwendig. Die Menschen sind Knechte auf Erden.
Also strahlt Gustl seinen Willen hinaus, die magischen Wellen. Fortgesetzt gibt er Kraft weg. Aber bis jetzt ist die Kraft nicht wie ein Bumerang in seine eigene Hand zurückgekehrt.
Was soll nun diese Verstocktheit heißen?
Wenn Gustl unermüdlich seine eigenen Fehler ausmerzt, sollen ihm die Mitmenschen darin endlich Nachfolge leisten.
Als man ihm ins Gesicht sagt: »Deine Auslage zieht nicht, sie hebt sich nicht über den Boden heraus,« hätte er zum Beispiel beleidigt sein können.
Aber ist er beleidigt?
»Sie gefällt mir selber nicht,« sagt er elastisch und gibt sofort zu, daß er mit großen Fenstern noch nicht umgehen kann.

Er hat seine Erfahrungen an kleinen und hochgelegenen Fenstern gesammelt.
»Dein Fenster ist ja so gut wie leer,« sagt die Mutter. Sie würde nie und nimmer glauben, welch eine Lage Waren Gustl hineingeschmissen hat und es gibt nicht aus. Schließlich kann er nicht sein halbes Lager in die Sonne legen.
Gustl ist kein eingebildeter Mensch. Er schleppt leere Kisten zusammen und reißt seine Dekoration nächtlicherweile wieder heraus.
»Diesmal weiß ich, wie ich es machen muß,« sagt er unverdrossen zu Frieda. »Ich schaffe einen ansteigenden Unterbau, der den Passanten die Ware direkt unter die Nase hebt.«
Wird nun Gustl, wenn nachts um elf Uhr seine Kisten nicht reichen, vor Ohnmacht beben und die Nägel in die Handflächen pressen, weil er an allen Ecken und Enden gehemmt ist? Schweigend stapelt er einige hundert Zigarrenschachteln in Lagen aufeinander. Es hält furchtbar auf, weil die Schachteln in der Größe abweichen. Frieda schimpft, daß Verpackungen dieser Art nicht genormt sind.
»Nur überall Spielraum lassen,« kommandiert er, als sie den Unterbau mit den blauen Zubantüchern verkleiden. »Du kannst gar nicht genug Stoff auslegen. Wenn das Tuch zu straff gespannt ist, reißt es mir hernach die Flaschen herunter. Hast du Reißnägel?«
Sie sind beide abgekämpft, als sie nachts um zwei Uhr zum eigentlichen Dekorieren übergehn.
Doch sucht Gustl wie die Biene das Gute.
»Was für ein Glück, daß ich es nicht allein machen muß! Ohne dich wäre ich aufgeschmissen,« übertreibt er.
Das Hirtentäschchenkraut ist in sich selbst nicht so bescheiden.
Als beiden grau und flau wird, daß sie am liebsten alles nochmal herausreißen möchten, läßt er die Genossin der Freuden teilnehmen am Rotwein und Leberkäs, den sie wie die Wilden in langen Streifen hinunterschlingen.

»Wenn wir erst was im Magen haben, gefällt uns die Auslage wieder besser,« behauptet Gustl.
Der Wein muß sowieso getrunken werden. Die Rotweinflasche ist Bruch. Gustl hat ihr am Nachmittag, als er die Kisten vorzog, aus Versehen den Hals abgeschlagen.
Dann wird Gustl so sehr Optimist, daß er als Mittelstück wahllos Zigarettenschachteln nach unten rollen läßt.
»Nur recht unordentlich hineinwerfen, damit die Leute stutzen und stehenbleiben.«
Um vier Uhr darf er mit aufrichtiger Erleichterung sagen: »Das hätte ich nicht geglaubt, daß wir in dieser Nacht noch fertig werden!«
Nun hat er Frieda so lang wachgehalten, daß er sich im Morgengraun gezwungen sieht, auf den gemeinsamen Altar ein Versprechen zu legen.
»Das nächste Mal geht es schneller. Ich lasse mir als Unterbau ganze Treppenstücke und Würfel vom Schreiner machen.«
»Das will ich auch hoffen,« hackt Frieda ein. Sie zuckt nicht mit der Wimper.
Nach diesem kriegerischen Klang will Gustl nicht übermütig werden und nichts verschrein.
»Wir werden ja sehn,« sagt er vorsichtig, »ob das Fenster diesmal Anklang findet.«
Und es hat eingeschlagen. Die Passanten bleiben wenigstens vor der Auslage stehn, um den Laden nicht ganz mit Verachtung zu strafen. An Laufkunden fallen vor allem die Fremden bei Gustl Gillich herein. Aber er fängt auch an, sich einen kleinen Stamm von festen Abnehmern zu schaffen.
Schon kann er Frieda, die ihn in der Mittagspause ablöst, verheißen:
»Um halb zwölf wird der und der seine fünf Ravenklau holen. Ravenklau stehen hier drüben, daß du es weißt.«
Er hört Frieda in Zigarettenmarken ab, und sie muß zwischen all den Packungen an die richtigen hinfassen, ohne zu zögern. Das gibt ein Gelächter. Wenn man einmal drin ist, weiß

es ein kleines Kind. Und doch hat Frieda, hell wie sie ist, gestern partout Haus Ulmenried nicht gefunden.
Wie in der Schule sagt sie als Ausrede: »Das haben wir noch nicht gehabt.«
Der erste Bann ist gebrochen. Doch hat Gustl der Geschäftsgang nicht die Rede verschlagen.
»Das ist doch bloß getröpfelt,« kann er sagen.
Nach vierzehn Tagen wechselt er die Dekoration, so daß andere Tabakwarenhändler, die es ihm nachtun müssen, sich über den unnötigen Fleiß erbosen.
»Ich bin neu in der Straße,« verteidigt sich Gustl. »Ich muß das Bild öfter verändern wie die eingeführten Geschäfte.«
Gustl rührt sich auch sonst und stellt als einer der Ersten am Rand des Trottoirs einen Fahrradständer auf, in dem gleichzeitig fünf Räder parken können. Weil ihm der Ständer zuviel kostet und Gustl behauptet, daß er ihn fürs halbe Geld selbst herstellen könnte, läßt er ihn vorerst auf Widerruf stehn. Er zahlt erst, wenn sich der Ständer bewährt.
Aber mit seinen verstellbaren Zigarrenkistenhaltern erweist sich Frieda als unzufrieden. Sie hält sie für genauso langweilig wie überall.
Gustl widerspricht nicht, denkt jedoch intensiv. Man muß das verwerten, was auf dem Markt liegt.
Frieda will ihn ja auch, wenn er eine bestimmte Auffassung hat, nicht mit Gewalt zur eigenen Meinung bekehren. Es ist sein Laden.
»Es ist auch dein Laden,« sagt Gustl.
Da nimmt Frieda einen abwesenden Blick an, so ganz ist das noch nicht heraus. Gustl fängt an, sie zu bezichtigen mit Hinweisen, die immer deutlicher werden.
»Ohne dich hätte ich den Laden niemals aufgemacht,« stellt er ein für allemal klar. »Bei meiner Mutter drunten ist die Lage besser. Wenn ich mich hineinreite, habe ich es aus Liebe zu dir getan.«
»Wie stimmt das damit zusammen, daß du den Schritt ohne mein Wissen machtest und schon seit Jahren vorgemerkt

bist für den Zeitpunkt, wo dieser Laden einmal frei wird?« berichtigt Frieda.
»War es nicht ein alter Plan deiner Familie, im Zentrum eine Filiale aufzumachen?«
Ja, aber Gustl hat sich womöglich verhaut. Der Laden wird nicht halten, was er sich davon versprach. Da wäre es gut, den Sündenbock dafür zu haben. Und es kommt immer hinzu, daß ihn die Liebe dem Experiment willfähriger machte.
»Es war auch höchste Zeit, ein Mann zu werden,« weiß Frieda dagegen.
Wenn sich Frieda auch nicht stillschweigend die ganze Verantwortung aufbürden läßt, ist sie auf ihre Art doch wieder recht. Unauffällig poliert sie die Flaschen. Frieda sieht aufs erste Mal ein, daß Gustl dafür keine leichte Hand hat.
Überhaupt hat er eine draufgängerische Art, die immer einen braucht, der nachgeht und aufräumt. Ohne sie würde er im Hinterraum vor eingerissenen Stanniolkapseln, mißglückten Preisschildern, vor Reißnägeln und altem Seidenpapier ersticken. Besonders nach jedem Dekorationswechsel häufen sich hinten die Leichenteile. Gustl kann mit gleichgültigen Männerblicken tagelang an ihnen vorbeigehn.
Aber wie langweilig ist das, wenn man sich dafür hergibt!
Frieda ist nicht abgeneigt, nach der eigenen Arbeitszeit das Gröbste zu beseitigen. Anders ist es schon, wenn sie merkt, daß er darauf pocht. Sie kann in den Tod nicht leiden, wenn Männer den lästigen und undankbaren Teil der Arbeit den Frauen zuschieben aus Prinzip.
»In Amerika helfen die Männer und Frauen auch zusammen,« sagt sie zum Beispiel.
»Hier ist nicht Amerika.«
Aber hier ist Frieda, die jahrelang Männerarbeit gemacht hat.
Wie soll das einmal werden, wenn Frieda sich auf die Heirat einläßt? Dann ade, schöne Selbständigkeit!
»Daran darf ich noch gar nicht denken,« sagt Frieda.
Da lacht Gustl sie aus. Das wäre doch sonderbar, wenn eine

sinnenfreudige Frau sich nicht die Finger bis zum Ellbogen ableckte, falls sie beim Genossen der Liebesspiele sich absichern kann auf Zeit.
Aber um welchen Preis? Frieda hat Ahnungen, sie kann es nicht lassen.
Allen Ernstes fragt Gustl, ob sie sich bei ihm nicht auslebt?
»Ausleben, ja,« kommt es gedehnt.
Wenn das für sie wenig ist, ist Gustl machtlos und Frieda ein Rätsel.
»Es fehlt eben was.«
»Dir fehlen Prügel.«
»Das muß man erst können.«
»Was?«
Gustl schnaubt. Gustl hat unter Können natürlich die reinen Körperkräfte verstanden, ein Beweis, wie einsam Frieda neben ihm lebt.
»Dazu müßte ich dir denn doch zuvor das Recht geben,« spricht deutlich Luzifers Tochter. »Ich würde nämlich sofort von dir gehn.«
Da steht sie und behauptet sich, als seien die Paragraphen des Gesetzbuches für sie nicht geschrieben.
Der beliebte Krauler ist nicht so souverän, wie er glaubt.
Er nimmt es von der leichten Seite und lacht, sollte vielleicht nicht lachen.
Es stört sie, daß er niemals mehr bei ihr erreicht, als sie ihm freiwillig gibt. Er wird ihr nicht Herr. Er besitzt nicht die Fähigkeit ihren Widerstand aufzuzehren.
Gustl kann nicht die ganze Nacht umhergehn und an dem widernatürlichen Gedanken bohren. Jetzt macht er Schluß.
»Es geht dir so gut, daß du vor Übermut nicht weißt, was du willst. Sei froh, daß du mich hast.«
»Ich bin ja froh,« sagt sie schwankend.
»Wer A gesagt hat, muß auch B sagen.«
Natürlich ist das eine vorübergehende Stimmung von Frieda.
Aber zwischen den Wänden steht es geschrieben, der beliebte Krauler soll ihr manche Enttäuschung bereiten.

Er hat wohl neben der Mutter, die keinen neben sich aufkommen läßt, eine gewisse Unentschlossenheit angenommen. Wenn man ihm den Anstoß gibt, arbeitet er wie ein Pferd. Er wartet bloß, daß Frieda die Initiative ergreift, und Frieda sieht sich das an, wie er wartet.
Schon zeigt sich sein Eifer für den Handel und Wandel von einer gesunden Sparsamkeit durchsetzt, er ist nicht mehr süchtig.
»Ich kann die Leute auch nicht an den Haaren herbeiziehn,« sagt er und sieht sich gezwungen, seinen Anzug und seine Nerven zu schonen. Er ist nicht mehr so habgierig, daß er Handstand und Kopfstand macht für jene Kunden, die ihn ohnehin beehren, und für die Abwesenden, die ja doch draußen bleiben. Die Welle hat sich überschlagen. Er läßt den Dingen einen gewissen natürlichen Lauf.
Er, den es wie einen gefangenen Löwen umhertrieb, hat es gelernt, sich ohne Tatendrang im Käfig zu bescheiden. Er starrt vor sich hin, solange die Käufer nicht wie Trommelfeuer bei ihm einfallen.
»Ich bin ja doch darauf angewiesen, was sie mit mir machen,« murmelt er schwer, sein Blick ist gebändigt.
Eine seltsam ausweichende Art von Fleiß hat Gewalt über ihn gewonnen und zwingt ihn, auf gelber Pappe Werbeschrift zu üben.
»Meine Fünfer sind noch nicht zügig,« murmelt er in panischer Angst.
Tag für Tag schielt er den Pinsel entlang, seine Zungenspitze schreibt mit. All seine Lebensgeister wandern wie ein Ameisenheer in derselben gebundenen Richtung. Als könne er dadurch, daß seine Fünfer zügig werden, Unerreichbares erreichen.
Jetzt wird er unterbrochen. Der kleine Vertreter, der sich nachweisbar nicht auf Spezialgeschäfte beschränkt, kommt ihm gerade recht, sein Mütchen zu kühlen. Der hängt ihm keinen Süßwein an.
»Ich habe auf derselben Ebene bereits was Besseres,« schneidet Gustl seinen Sermon ab.

»Was sollte das sein, wenn man fragen darf?«
»Bemühen Sie sich nicht. Mein Zwölf-Apostel-Wein verkauft sich spielend.«
»Gerade mit Zwölf-Apostel hält mein Wein jeden Vergleich aus.«
»Ich vergebe keinen Auftrag. Von mir aus können Sie ruhig bei Ihren Kramern bleiben.«
Der Reisende fühlt sich durchschaut und verschwindet. Es macht böses Blut, wenn ein Vertreter in derselben Stadt überall hineingeht und die kleinsten Kramläden mitnimmt. Da sind unsichtbare Grenzen gezogen.
Gustl läßt sich deutlich ankennen, wer bei ihm unten durch ist.
Dürfte er die Brutalität nur auch bei Malermeister Fatisch anwenden! Hier heißt es ins Gesicht freundlich sein, um seine Kundentreue in Senatoren zu erhalten. Gustl hat leider auf Senatoren kein Patent.
»Spitze gefällig?«
Für diesen nämlichen Fatisch und für seinen Hinterraum hat er vierzig Mark zum Fenster hinausgeschmissen. Frieda ist dafür Zeuge, weil sie aus dem Katalog Nr. 56, ein helles, luftiges Lindgrün aussuchte. Der Malergehilfe war über den Auftrag so erhaben, daß er die schmutzige Grundfarbe des Raums nicht einmal herunterwusch, sie nur überstrich. Nach der Unterlassungssünde mußte er natürlich Nr. 69 auftragen, um die Grundfarbe zu übertönen. Sie schlägt trotzdem durch. Und Nr. 69 schreit.
Der Anstrich war licht gedacht, um Heiterkeit in den Hinterraum zu bringen. Jetzt schlägt einem die Wand auf den Kopf.
»Diese Farbe habe ich nicht bestellt,« sagt Frieda sofort. »Du wirst nicht so dumm sein und zahlen. Der Auftrag muß im angegebenen Farbton ausgeführt werden. Dafür sucht man im Katalog aus.«
Der Malermeister ist mit der Eigenmächtigkeit des Gehilfen zwar nicht einverstanden, darf aber nichts zugeben.

»Nun, Herr Gillich, haben Sie sich inzwischen gewöhnt an Ihre Wand?«
Will er im Ernst, während er seine Senatoren entzündet, aus dem Opfer Begeisterung erpressen?
»Nicht ganz. Ich fürchte, ich lasse sie nochmal streichen,« spricht Gustl mit bebenden Lippen.
Mehr spricht er nicht. Er ist nicht vom Fach.
Vom Fach ist der Maler.
»Grün ist grün,« behauptet er mit der Selbstverständlichkeit eines eingeführten Handwerksmeisters in kleinen Städten. »Meinem Gehilfen muß ich ja auch den Stundenlohn geben.«
Der Mann ist ohnmächtig, der nichts mit den Gerichten zu tun haben will.
Nun hat sich Frieda ja eingebildet, durch Sport wird der Kampfgeist entwickelt. Aber wenn Gustl nicht grob sein darf, wird er unsicher. Er trifft nicht die Mitte.
Dagegen kann er sich furchtbar aufregen über den Mann, der zehn Overstolz kauft und zwei Zündholzschachteln als Dreingabe begehrt.
»Soviel gibt es anderswo auch.« (Das ist gelogen.)
»Soviel verdiene ich an der ganzen Schachtel nicht, wie Sie dreinhaben wollen,« fährt ihm der rasende Zigarettenhändler über den Mund. »Unverschämtheit!«
Hier findet Gustl seine Sprache wieder, denn hier ist er vom Fach.
Overstolz werden übrigens knapp. Er muß noch diesen Abend im Laden der Mutter ein Tauschgeschäft vornehmen.
Fortwährend kann es nicht schiefgehn. Gustl wird nicht ausgesprochen verfolgt. Jetzt hört er, wie jemand klirrend sein Rad in den Ständer stellt, seinen Ohren zur Speise. Dann tritt der Ersehnte ein und wischt sich den Schweiß aus dem Hals und von den rot angelaufenen Backen. Gustl möchte in seiner Freude am liebsten abtrocknen helfen.
Schau, der Ökonom von Drenting, der alljährlich die große Bestellung macht, weil er eine Gartenwirtschaft betreibt – er

ist von den Eltern, die nicht daran sterben werden, zu ihm übergelaufen. Er kann seine fachmännische Bedienung wohl nicht missen.
Ein ärgeres Lob könnte Gustl gar nicht widerfahren. Er tritt von einem Fuß auf den anderen vor Dankbarkeit, während er den ausführlichen Bestellzettel in die Hand nimmt.
»Ich muß noch wo hin. Vielleicht richten Sie mir die Sachen bis in einer Stunde zusammen. Den Rucksack und die große Tasche lasse ich Ihnen gleich da.«
»Sehr wohl. Wird gemacht. Amen.«
Wenn Gustl doch ungewöhnlichere Zitate anbringen könnte, um sein Erdenglück zu beweisen!
Jetzt rinnt Löwenmut in seine Adern. Er fliegt die Staffelei hinauf und hinab, zückt seine Kisten, schwenkt seine Flaschen, lüpft die Gebinde. Er nimmt mit der Rocktasche Schubladen mit, die nicht aus dem Weg gehn. Beinahe hätte er aus vollständiger Abwesenheit von Gram das preiswerte Kirschwasser zu hart auf die Glasplatte gestoßen.
Es war übrigens nicht der Ökonom persönlich, sondern der Sohn, der im weitläufigen Obstgarten die Zuchtversuche macht, ein wahrer Satan auf seinem Rad. Und vielleicht ist es nicht alles! Es läßt sich noch gar nicht überschaun, was aus dem wird. An ihm ist ein besserer Sechstagefahrer verlorengegangen. Für Gustl hat er Engelszüge, schon aus sportlicher Kollegialität.
Nun darf er nicht zuviel von ihm hermachen, daß der junge Mann mit den gesunden Apfelbacken sich nicht wunderbar vorkommt. Er verehrt ihm einen kleinen Schnaps bei der zweiten Begegnung, zu mehr versteigt er sich nicht.
Aber als der Ökonomensohn schon den Rucksack aufgeladen hat, die vollgestopfte Tasche auf dem Rad verstaut, fühlt Gustl denn doch den Drang, etwas Beispielloses zu sagen.
»Schönen Dank, daß ihr mir was zukommen laßt,« sagt er ganz nebenbei. »Zum Johannisbeerwein in eurem Garten sehen wir uns wieder. Dann stelle ich euch meine Braut vor.«

Der Ökonom und sein Sohn braun einen Johannisbeerwein, der bei den Ausflüglern großen Ruf hat. Vergangenen Sommer hat er auf seinem Berg mitten im Wald fürs schlechte Wetter eine Halle anbauen müssen.
»Wenn es nicht regnet,« schränkt Gustl ein aus Angst, er habe sich vor unsinniger Höflichkeit was vergeben.
So die Würde gewahrt, verharrt er in der Tür, nimmt seine Windeseile zur Kenntnis. Welch ein Antreten und welch ein Spurt für den Fahrer mit dem lästigen Rucksack und mit dem Gepäck!
Gustl lacht über das ganze Gesicht. Es gibt doch rassige Burschen.

Gustl hat bei der Gründung reichlich Ware aus dem elterlichen Bestand übernommen. Dann waren die Nachbestellungen fällig. Raucherware sieht nach nichts aus und läuft ins Geld. Gustl muß öfter, als ihm lieb ist, den tiefen Griff in die Kasse tun, um laufenden Verpflichtungen nachzukommen.
Im Anfang hat er aus dem Handgelenk bestellt, einzig darauf bedacht, häßliche Lücken im Lager aufzufüllen, seine Stapel zu ergänzen. Wenn ich in Verlegenheit komme, hilft mir die Mutter aus, ist der Hintergedanke. Aber die Mutter geht mit Gustls Schönheitssinn nicht konform. Sie steht nicht für ihn gerade.
»Nichts da,« heißt es. »Wir haben dir den Laden fix und fertig eingerichtet. Du hast zuviel für die Ausstattung verbraucht, es wäre einfacher gegangen. Nun mußt du dich mit dem Nachschub der Ware nach der Decke strecken.«
Leichter gesagt wie getan.
Gustl rauft sich die Haare, wenn es auf den Ersten geht und Minze schon die Hand hebt, um pünktlich die Miete einzukassieren. Gustl würde am liebsten in Raten zahlen.
»So? Kommt einer, der mir die Haut abzieht?« fragt er drastisch. »Das sind mir die lieberen Kunden.«
Der helle Klang des Wohlwollens, den Gustl im Laden an sich hat, wankt bedrohlich.

Minze faßt ihn von der Seite ins Auge. Minze hat am Ersten eine gewisse Wachsamkeit an sich, seit ihm bei Gustls Vorgänger einmal eine Vase gegen das linke Auge flog. Das Auge hätte auslaufen können. Er läßt durchblicken, daß es nur seiner Fürsprache zu verdanken ist, wenn sich die Miete so niedrig stellt. Gustl hätte von rechtswegen schon gesteigert sein müssen.
Dabei hat Gustl sich verhaut.
Gustl haßt ihn aus tiefster Seele, wenn Minze dasteht wie angenagelt und auf sein juristisches Eigentum wartet.
Er wälzt jeden Fünfzigmarkschein mit einer Wucht über die Glasplatte, daß es einem durch Mark und Bein geht.
»Du kannst lachen,« untermalt er seine Situation. »Du streichst es ein. Aber ich gebe es her.«
Es gibt seinem Gemüt einen Riß, wenn er sich vom lieben Geld trennt. Er bebt unterirdisch, könnte ein Lied singen von seinem Verlust.
Jedoch Minze reicht nicht, von Reue geschüttelt, wenigstens einen der Scheine an den beraubten Besitzer zurück und verwünscht seine Berufung, die ihn zum Henker der Sympathischen macht. Er wird von keinem ähnlichen Impuls angewandelt.
»Nach dem Buchstaben steht es dir zu,« spricht Gustl leidvoll. »Aber soviel wie mich eine einzige Woche Miete kostet, habe ich im ganzen Monat nicht am Laden verdient. Darum ist es Wucher, wenn es auch auf dem Papier steht.«
Gustl weiß, warum er vor dem Ausbeuter die Statistik seiner Einnahmen preisgibt. Seit der Inventur hat er den Plan, beim steifsten Rechner der Stadt um Mietermäßigung nachzusuchen.
Die kurzfristige Inventur hat den Krebsschaden bloßgelegt. Zwar kommt fortwährend Geld ein, nicht genug um die laufenden Ausgaben und Warenschulden zu decken. Die Verdienstspanne reicht in der Branche nicht aus. Es ist unheimlich, wie rasch die Substanz schwindet, wenn man keine Bewegungsfreiheit hat. Er verliert das Skonto.

Hätte ich bloß nicht mein ganzes Geld an die gute Ausstattung gewendet.
Insgeheim hat er mit mancher Erleichterung seiner Lage spekuliert. Zum Beispiel hätte er nie erwartet, daß sich Frieda mit dem Ihren so karg zeigt. Nichts wäre unter den Umständen gegebener, als daß sie ihr Kapital in sein Geschäft steckt.
»Es ist nicht mein Geld,« stellt Frieda klar. »Es ist Linchens Erbteil, das ich nicht angreifen darf.«
Aber ist es nicht so, daß Linchens Aufenthalt im Institut und die teure Schule von Frieda bestritten wird? Gustl windet sich gequält. Da kann ihr ja nichts bleiben.
»Du hast von Anfang an gewußt, daß ich eine Schwester aufziehn muß,« verteidigt sich Frieda.
Ob es Gustl gewußt hat! Er wurde von sentimentalen und überflüssigen Gedankengängen für die junge Schwester bewegt. Aber das geht zu weit, wenn die Braut um der Verwandtschaft willen ihr Geld nicht dem Bräutigam hingibt. Das geht ihm ja ab!
Ihr Geld?
Der Spießer möchte instinktiv darauf beharren, daß es Friedas Eigentum ist, auf das er gefühlsmäßigen Anspruch hat. In Gelddingen will er nicht hören.
Nur wenn Frieda unbeugsam darauf beharrt, muß Gustl, um einen Schritt weiterzukommen, ihre Behauptung zur Kenntnis nehmen.
»Ich meine bloß,« lenkt er ein, »wenn du deiner Schwester den Unterhalt bestreitest, kann sie mir doch wirklich einen Gefallen erweisen. Es ist nur für jetzt. Später bekommt sie es wieder zurück.«
»Ich nehme meiner Schwester nichts vom Erbteil weg.«
»Ich will mich doch bloß rühren können. Es wird ihr doch nicht genommen. Ich begreife nicht, daß du nicht siehst, daß die Kapitalsanlage todsicher ist.«
»Und wenn du auffliegst mit dem Laden?«
Nun muß Gustl wie ein getretener Wurm sich durch die Minuten quälen, wenn Frieda den Teufel an die Wand malt.

»Du wünschst mir nur Schlechtes,« wirft er ihr vor.
Gustl redet sich umsonst den Mund fransig.
»Linchens Erbteil wird nicht angegriffen,« sagt Frieda dürr, wie es im Buch steht.
Er blickt ihr nach wie der Stier, wenn es donnert. Gustl wird eifersüchtig, wenn sich schon hieran zeigt, daß er nicht jeden Platz ausfüllt in ihrem Herzen. Daß Frieda den Unterschied zwischen mein und dein macht, wo er nur darauf brennt, ihr seinen mannbaren Schutz zu verleihn, wird ihm ewig unfaßbar bleiben.
Er hat sich keine reiche Braut gesucht. Er wählte ausschließlich nach seinem Herzen. Jetzt liegt die Mutter ihm in den Ohren, er soll sich auf Schleichwegen sein Opfer versüßen. Der Spießer bricht durch. Er ist verliebt, aber keine Ausnahme unter den Menschen. Er kann sich die Ausnahme einfach nicht leisten.
Der harmlose Gustl in der zum Instinkt gewordenen Unsauberkeit. Er ist ja nicht hermetisch abgeschlossen von allen, die dem Vorrecht des Mannes frönen. An anderen hat er es erfahren, wie andere ihre Ehe aufbaun. Gewohnheit sagt ihm, daß Hochzeiterei ein ewiger Kuhhandel ist. Zwar hat er die Geschichte der Geschlechter nicht bis in die Urzeit verfolgt. Die innere Stimme sagt es. Auch ihm ist die Aneignung zur zweiten Natur geworden.
»Das kann man mit mir nicht machen,« verwahrt sich Frieda.
Der Naturbursche und gefangene Löwe strebte nach Höherem in der Gefährtin. Er wollte über seine begrenzte Veranlagung hinaus. Ihn reizte der zusammengesetzte Charakter, der ihm Rätsel aufgab.
Sein ökonomischer Alltag erteilt ihm die Lehre, daß er eine andere Frau braucht.
Gustl ist auch sonst durch das Ergebnis seiner Zuchtwahl in eine verzwickte Lage geraten. Seine Gründung wird nie populär, wenn er nicht selbst in Vororte und Dörfer hinausgeht, um Kundschaft zu werben. Er ist angehängt zwischen

vier Wänden, kann nicht während der Geschäftszeit weg. Er atmet gepreßt. Wenn er auf die paar Leute angewiesen bleibt, die von selber bei ihm einfallen, erspäht er keinen Spalt, durch den er durchschlüpfen kann. Er wird nicht reich.
Nun sollte Frieda über ihre Zeit verfügen können und ihn im Laden ersetzen. So machen es andere.
Frieda löst ihn ab, wenn es sich machen läßt. Sie füllt jede freie Minute aus. Sie strapaziert sich, zeigt jedoch, daß ihr das Hemd näher liegt als der Rock. Sie muß ja für sich und Linchen den Lebensunterhalt verdienen.
Er braucht eine andere Frau.
»Du mußt dir eben für bestimmte Tage eine Aushilfe nehmen.«
»So wie jetzt trägt der Laden die Miete nicht, geschweige die Aushilfe.«
Gustl übertreibt, wenn er sich wegen der Aushilfe als Verzweifelter gebärdet. Aber wenn er diesen Ausweg ergreift, könnte Frieda zeitlebens auf der Aushilfe bestehn, das gerade will er vermeiden. Er will die Frau als Arbeitskraft im eigenen Geschäft ausmünzen, ihr nichts dafür zahlen.
»Gib deine Vertretung ganz auf,« schlägt er ihr vor.
»Jetzt bin ich eingearbeitet. Wie kann ich alles hinschmeißen und in der Luft hängen, wenn meine Schwester und ich davon leben müssen.«
»Linchens Geld ist auch noch da.«
Da ist er wieder bei Linchens Erbteil angelangt, dem Stein des Anstoßes, um den wie gebannt seine gekränkten Erwartungen kreisen. Etwas würgt sie im Hals. Er stößt sie förmlich ab in solchen Minuten.
Nein, Frieda zieht nicht. Ihr Arbeitstag hat einen anderen Wert.
Gustl ist nicht ohne Augenmaß dafür geschaffen.
»Später, wenn wir den Betrieb einmal ausbauen, kann ich deinen Anlagen besser gerecht werden,« sagt er ihr zum Trost.

Frieda verläßt sich nicht blind darauf. Sie hat ihre Position im Zwischenhandel in Jahren ausgebaut, hat ihr eigenes Erbteil hineingesteckt. Bei manchem Abschluß hat sie unter der harten Isoliertheit gestöhnt. Jetzt, wo sie alles aufgeben müßte, wird ihr die Isoliertheit lieb.

»Es wird dir gut tun, wenn du nicht mehr ins Ungewisse hinausmußt, sondern deine sichere Ecke hast.«

Ist die Ecke etwa sicher, wenn Gustl sich verhaut hat?

»Ich müßte mir von dir hineinreden lassen,« sagt Frieda widerspenstig. »Alles müßte nach deinem Kopf gehn.«

Es bedeutet ihr soviel, die Selbständigkeit aufzugeben. Ja, nun hätte Frieda ganz andere Tugenden in sich großziehn müssen. Plötzlich läuft alles verkehrt.

Was hat es für einen Sinn, daß man sich wie ein Mann in der Fremde herumrauft, daß Eigenschaften entwickelt worden sind, welche sich dem männlichen Übergriff verweigern? Was nützt der Frau aller Fortschritt, wenn sie dann doch in die patriarchalischen Methoden der Lebensgemeinschaft hineingestoßen wird, die eine rückläufige Bewegung bei ihr erzwingt.

»Die Männer müssen sich anders einstellen,« behauptet Frieda, fühlt sich als weiblichen Pionier.

»Dir münzen sie's,« sagt der Naturbursche Gustl.

Was zum Beispiel soll, wenn sie heiratet, mit Linchen werden? Wird Gustl, wenn Frieda nicht mehr am freien Wettbewerb teilnimmt, für Linchens weitere Ausbildung sorgen?

An diese Konsequenz hat Gustl überhaupt nie gedacht. Er kann seine Ehe nur im Zusammenhang mit den eigenen Interessen sehen und schüttelt den Kopf über die Zumutung, die automatisch an ihn gestellt wird.

Gustl braucht eine andere Frau.

Die Ehe, der alte Karren, mit dem man nicht mehr fahren kann.

Solang sie einzeln blieben, ist es gegangen. Kaum werden die ökonomischen Notwendigkeiten verquickt, schon geht es nicht mehr.

»Soviel wird meine Arbeit noch wert sein, daß ich Linchen mitziehe,« begehrt Frieda auf.
»Das Recht auf deine Arbeitskraft steht sowieso deinem Mann zu,« predigt Gustl, der einmal naiv war.
Der Wald- und Wiesengustl weiß sich auf die Dauer zu helfen, er hat sich die Waffen des Gesetzbuches zu eigen gemacht oder sich eintrichtern lassen, er streckt sich schon jetzt in seinem Bett, das ihm das Eherecht verleiht, und man weiß ja, wie die Frauen da dran sind. Er wächst, sofern ihm als Persönlichkeit bang werden muß, in die Buchstabengerechtigkeit hinein. Er ist der Komplikationen, die ihm von Natur nicht zustehn, müde geworden, will fortan im Einklang mit seinen Notwendigkeiten leben, bei denen Eigennutz obenan steht.
Er weiß mit Tieren, Bäumen, Flüssen, schwierigen Brückenübergängen Bescheid. Er wäre in keinem Urwald, auf keiner einsamen Insel verloren. Jetzt hat er, um die Ehe zu meistern, den primitiven Lehrsatz angenommen: Weib ist Weib.
Er umrankt es mit Zärtlichkeit, ist so sinnlich gewährend, hält aber am Buchstaben fest, der es dem Mann leicht macht.
Und er hat doch keine Autorität bei Frieda, wird sie niemals haben. Es ist ein zu ungleiches Paar.
Weiß Frieda eigentlich, was sie bewirkt, wenn sie an der Autorität nagt, bevor er noch richtig in Schwung kommt? Anstatt durch freiwilligen Gehorsam die Macht des Mannes zu stärken, untergräbt sie den Mann.
Gustl wundert sich nicht mehr, wenn ihm alles unter der Hand zurückschlägt. Daß Minze senior sein Gesuch um Mietsenkung abwies, muß mit Friedas Aufsässigkeit zusammenhängen; Gustl kann es sich nicht anders erklären.
Minze senior ist von der Ladenkrise noch lang nicht überzeugt. Das eiserne Köpfchen des Kraulers ist ihm für einen gut, den er schröpft.
Wenn sein Geschäft sehr gut gegangen wäre, hätte er mir dafür nicht mehr Miete bezahlt, sondern sich auf den Ver-

trag berufen, weiß der Hauswirt. Der ist nicht Matthäi am letzten. Der wird sich noch ganz anders abzappeln lernen. Minze senior weiß, wie man vom Lebendigen nimmt.
Es ist gerade, wie wenn er gerochen hätte, daß es mit Gustl rasend bergauf geht.
Mit dem Winter tritt eine Erleichterung ein. Erkältungskrankheiten wollen geheilt sein. Gustls Schnäpsen, seinem Arrak und Rum wird fleißiger denn je zugesprochen. Die Kunden geben sich die Ladentür in die Hand. Wer weiß, ob es nicht mehr sein könnten, ob das gefrorene Schaufenster nicht manchen verscheucht hat!
Gustl befindet sich in der Tat wie in einer Eisgrotte in seinem Laden, man sieht nicht hinein noch hinaus. Sein Schaufenster ist über Nacht von Eisblumen zugewachsen. Jetzt darf er warten, bis es wieder taut oder er muß sich einen laufenden Ventilator leisten. Er fällt fast vom Stuhl, als Frieda vom Kundschaftergang zurückkehrt und ihm den Preis nennt. Dann geht es auch ohne den Ventilator. Der Fensterputzer weiß ihm ein Mittel, um die Scheibe klarzuhalten; es enthält Glyzerin.
Er muß sich erst von den schlechten Zeiten erholen.
Nicht alles kostet in seinem Betrieb. Er macht sich manches Angebot der Reklame zunutze und läßt den Mann von Ravenklau dekorieren, der die Ware gruppiert um den überlebensgroßen silbernen Doppelraben. Gustl muß jedoch, als er endlich allein ist, einige persönliche Änderungen vornehmen. Der Dekorateur bringt ihm zu wenig in der Auslage unter. Natürlich hat er die schweigende Tendenz, andere Firmen aus dem Fenster zu drängen.
Der Bluff der Aufmachung, darauf gehen seine Kunden wenig. Was sie zu sehen wünschen, ist möglichst reichhaltige Auswahl und ausgezeichnete Preise. Sie wollen im voraus wissen, was sie ausgeben müssen, sonst kommen sie erst gar nicht herein.
Man muß wissen, wie es gemacht wird. Gustl ist da nicht auf den Kopf gefallen. Er zuckt die Ohren und paßt sich dem

Markt an. Die besseren Zeiten sind da, Weihnachten, Fasching, Hochkonjunktur für die Branche. Der junge Kaufmann geht ganz im Wechsel zum Besseren auf. Trotzdem muß er, wenn er nach Geschäftsschluß Luft schnappt, noch für andere Menschen den Schutzengel machen.
Ungewöhnliche Kälte herrscht in diesem Jahr. Die Donau ist zum erstenmal seit 1905 in diesem Teil des Laufes zugefroren. Wenn es noch eine zusammenhängende Eisdecke wäre. Seit kurzem taut es, Schollen schieben sich übereinander, geben knirschend dem Druck nach. Die Bergwasser drängen von hinten, der gebannte Fluß setzt sich in Bewegung. Das kracht und klirrt ohrenbetäubend. Soviel Scherben gibt es im ganzen Jahr nicht. Und ausgerechnet über diese gefährlich verrutschende Masse, um die jeder Erwachsene einen Riesenbogen macht, sieht Gustl nachts um acht Uhr einen halbwüchsigen Knaben turnen. Er hat nicht einmal Tageslicht, er hat ein Sternenlicht, das täuscht. Es scheint, der unvernünftige Fant hat sich in den Kopf gesetzt, zu Fuß in die Ewigkeit hineinzuklettern.
Der Zuruf bleibt Gustl im Halse stecken. Er ist Meister im Sport, hier kann er nicht helfen. Wespenschwärme und Eisgang gehören zu den Dingen, die er mit Respekt vermeidet.
Der Junge hat eine kurze Joppe an, nur Ohrenschützer unter der Haube. Es muß einer von der ärmeren Bevölkerung sein. Er quält sich mitten im Fluß, der unaufhörlich sich verändert. Manchmal kippt eine Scholle unter seinem Fuß, mannsbreite Lücken klaffen und werden breit wie eine Tür. Er muß sich mit tollkühnen Sprüngen von Scholle zu Scholle retten. Gustl fiebert oben auf seiner sicheren Brücke, er könnte sich verwünschen. Dann strebt er mit raschen Schritten zum jenseitigen Brückenkopf, um den Wagemut gleich am Ufer in Empfang zu nehmen. Den wird er zur Rede stellen, daß ihm die Ohren klingen. Was bildet der sich ein, daß er auf die dumme Art mit seinem jungen Leben herumschmeißt!
Der Junge springt mit ein paar letzten Sätzen an Land und

spricht erregt mit sich selbst. Noch immer treibt er sich durch Naturlaute an, es war ihm wohl nicht geheuer in den Minuten, die er durchgestanden hat. Da wird er von fremder Hand in den Strauch gezogen und bekommt eine Tracht Prügel auf den mageren Hintern.

»So, das war dir zugedacht, das gehört dir nicht anders,« spricht Gustl kräftig. Er schnauft. Die Prügel strengen ihn selbst an in seinem schweren Wintermantel, er legt viel Kraft hinein. Der Junge muckst sich nicht. Er hält ganz still in der Überraschung.

Auf dem Fluß war er unbewußt und ein Held mit seinen vierzehn Jahren, jetzt wird er mit Wehlauten wissend, was er getan hat. Er heult gottsjämmerlich nach dem ersten Schreck, heult aus Empörung und berechtigtem Zorn. Sein Glauben an die Erwachsenen kommt zu Fall.

»Aber der Mann hat mir doch eine Mark versprochen, wenn ich hinüberkomme,« verteidigt er sich entrüstet.

»Welcher Mann?«

»Der da drüben.«

Vorwurfsvoll reibt er sein Gesäß, nachdem er den Veranlasser des Tuns gezeigt hat.

Gustl gibt es einen Schlag in den Adern, als er den Fußgänger über die Brücke sogar noch herankommen sieht. Er will wohl, ohne eine Dazugehörigkeit zu verraten, sich orientieren, was es mit dem Geschrei auf sich hat.

»Hier sind zwei Mark, wenn du mir versprichst, daß du das nie wieder tust.«

Gustl ringt sich die Silbermünze wahrlich von der Seele, nachdem er seinen Handschlag weg hat.

»Halt, jetzt gehst du heim zu deinem Vater und sagst ihm einen schönen Gruß von mir. Im Sommer kannst du dich bei mir melden. Dann lerne ich dir sporteln, damit du Dummheiten bleiben läßt und eine vernünftige Anwendung für deine Schneid hast, du Racker. Kennst du mich?«

»Ich werde den Kraulgustl nicht kennen!«

Ein Pflaster für den wunden Ehrgeiz des Kraulers.

»Haltaus, hiergeblieben! Wo willst du jetzt schon wieder hin?«
»Ich hole mir meine andere Mark.«
»Die bekommst du nicht. Ich habe sie dir ersetzt. Das lasse nur mich mit dem Mann abmachen.«
»Aber ich habe sie mir verdient.«
»Du parierst, wenn ich dir sage, Rotzbub.«
Gustl scheucht den Halbwüchsigen zurück und holt mit raschem Schritt den Mann auf der Brücke ein, dem es angebrannt riecht, nachdem er Gustl erkannte, und der sich aus dem Staub machen will.
Der Junge bleibt hinten im Strauch stehn mit offenem Mund und zwiespältigen Gefühlen angesichts seines Sportidols. Er hat einen Heidenrespekt vor Gustl, hält Disziplin, wenn es auch schwer fällt. Vielleicht wird in dieser Minute ein künftiger Weltmeister geboren.
Ein Mann wird von hinten gestellt.
»Wenn mir noch einmal zu Ohren kommt, daß du dumme Buben zu den übelsten Waghalsigkeiten verleitest, dann zeige ich dich bei der Polizei an. Das merkst dir, du Hund. Mit dir habe ich sowieso ein Hühnchen zu rupfen.«
»Was ist los?« fragt der Mann harmlos. »Ich gehe bloß spazieren.«
»Dir gebe ich schon einen Spaziergang.«
Darauf fällt Gustl ihm nicht herein, wenn er den zufälligen Passanten markiert. Er versetzt ihm einige Knüffe und Püffe, fuchtelt ihm im großen und ganzen vor den Augen herum. Zuletzt läßt er sich von dem Schreckensbleichen die einzelne Mark wiedergeben.
Das Opfer rennt in die Stadt voraus, auch wenn ihm die Kniee zittern. Es will nicht mit dem Verfolger ein und denselben Heimweg haben.
Gustl hält unschlüssig das Markstück in der Hand. Dann läßt er es in die Tasche gleiten, bevor es ihn brennt. Er deckt die Hand darüber zum Schutz.
»Wenn er sieht, daß es was einbringt, wird ihn das bloß zu

neuen Dummheiten verleiten,« entscheidet der Erzieher. »Außerdem habe ich ihm selbst was gegeben.«
»Was stehst du noch dort?« schreit er in den Strauch. »Mach, daß du heimkommst. Wenn du krepiert wärest, hättest du deine Mark sowieso nicht bekommen, dummer Teufel.«
So also geht es zu, wenn er nicht nach dem Rechten sieht in der Gemeinde!
Gestärkt geht er heim. Er grübelt nicht unnötig, bringt ein gesundes Wohlwollen auf für seine Person. Ausgerechnet der Sohn des Volks hat sich die Schlange der Erkenntnis an den Busen legen müssen.
Wer war der Mann, der davon ausging, daß man einem Toten nichts zu zahlen braucht und der zuletzt doch seine Mark herausrücken mußte?
Der Scharrer Raimund. Natürlich.

Der Scharrer hat keinen Grund, das Leben seiner Mitmenschen zu hüten, wenn man ihn bei allem, was er tut, für gemeingefährlich hinstellt. Er liebt es Schlingen auszulegen, um sich seine Macht zu beweisen, und wird sich noch in der eigenen Schlinge fangen.
Da hat er nun an den Direktor einen dummen Brief geschrieben, was er von seinem Lebenswandel weiß und daß er dafür einen Zeugen hat. Lang hat er gezögert. Dann tat er es abrupt. Es wuchs ihm über den Kopf.
Der Direktor läßt den Schreiber von der Arbeit abrufen.
»Also, Scharrer, als Sie den Brief schrieben, was haben Sie sich dabei gedacht?«
»Ich habe mir überhaupt nichts gedacht, Herr Direktor.«
Er hat bloß auf den Busch geklopft, was sich daraus ergibt, hoffentlich ein Vorteil.
»Sie sind doch nicht schwachsinnig. Man schreibt doch keinen solchen Brief, ohne daß man eine bestimmte Absicht hat.«
»Sie vielleicht. Oder habe ich in meinem Schreiben was verlangt?« lautet die freche Entgegnung.

Man müßte ihn schon an den Haaren zum juristischen Tatbestand der Erpressung schleifen.
»Machen Sie es mir doch nicht so schwer. Wir sind doch keine kleinen Kinder, Scharrer. War es darauf abgesehn, daß ich Ihnen einen Hunderter in die Hand drücke?«
Der Scharrer würde das Geld schon nehmen, wenn man es ihm, ohne daß er es merken muß, in die Rocktasche praktizierte.
»Nein,« sagt er zwischen die Zähne.
Der Direktor versucht es mit einer anderen Hacke.
»Herr Scharrer, Sie sind soweit ein gebildeter Mensch. Da ist es verständlich, daß Sie mit Ihrer augenblicklichen Lage unzufrieden sind. Wie alt sind Sie eigentlich? Sie legen es vielleicht darauf an, daß ich Ihnen im Werk eine besser bezahlte Anstellung verschaffe, die Ihrer Ausbildung mehr entspricht?«
»Das wäre der Zweck der Übung.«
Jetzt muß der Scharrer es darauf ankommen lassen, oder er schindet nichts für sich heraus.
»Sie haben soeben zugegeben, Sie wollten mit dem dummen Brief eine Beförderung von mir erpressen,« sagt der Direktor unnötig laut. »Sie können hereinkommen, Schmidt.«
Der Direktor hatte im Nebenraum einen Zeugen versteckt, um den Schreiber zu überführen.
Mindestens wird es Verleumdung.
Der Direktor entläßt den Scharrer mit sofortiger Wirkung.
»Das Weitere werden Sie vor Gericht erfahren.«
Da verließen sie ihn.
Das hätte der Scharrer sich nicht träumen lassen, daß er so elegant hinausfliegt.
Nach dem Gang zum Revier paßt er einen Kameraden ab und erzählt ihm entrüstet, wie man ihm mitgespielt hat. Der schaut überzwerch und rückt von ihm ab.
»So schlau wie du sind die schon lange.«
»Aber du mußt doch zugeben, daß das eine infame Falle war.«

»Fein war es nicht. Aber was du gemacht hast, war auch nicht fein.«
»Soll denen einfach alles hinausgehn?«
Da hilft kein Gott. Der Scharrer muß die ungerechte Entlassung ohne herzliches Beileid hinunterwürgen. Man zieht einen deutlichen Bogen um den Mann, gegen den eine Klage wegen Erpressung vorliegt.
Er muß sich doch wundern, wenn nicht einmal die niedere Kaste sich gegen ihre gewerbsmäßigen Ausbeuter aufhetzen läßt. Dabei müßte es doch leicht sein, zu hetzen. Arbeiter sind doch Affen, ist seine tiefinnere Überzeugung. Sie äffen alles nach. Hat einer ein Motorrad, gleich muß der andere auch eines haben.
Sie können ihn alle miteinander!
Bis zur Verhandlung ist lang. Und wer weiß, ob er sich nicht auf den Fuß stellt und wer ihm noch daran glauben muß, an wem er sich rächt.
Wenn man sie sucht, findet man Leute, die in die geschützten Häuser gelangen.
Er stöbert eine Störnäherin auf, die kleinere Reparaturen für die Frau Direktor näht.
Meinetwegen, wenn Direktors sich dafür nicht zu vornehm sind, daß sie bei einer Störnäherin arbeiten lassen!
Ein paar Wochen danach steht er mit ihr auf dem schmalen Fußgängersteg der Eisenbahnbrücke.
»Du nähst bei Direktors?«
»Schon lang. Diesmal muß ich das Kleid für ihre Reise kürzen.«
»Wo will man denn hin?«
Die Frau Direktor wird in Begleitung ihres Gatten zum Sängertag nach Budapest mit dem Sonderzug fahren. Der ganze Sängerverein ist mit von der Partie. Der Zug fährt am 20. Mai. Man muß schon jetzt seine Platzkarte belegen.
April, Mai, rechnet der Scharrer.
Er ist kein Ausbund von Verzeihung.
Wenn man ihm was getan hat, dann will er denen beweisen, daß er auch eine Macht haben kann.

Jetzt gibt es eine Störung auf dem einsamen Steg. Ein Fußgänger kommt heran. Die Näherin beugt den Oberkörper über das Geländer und zeigt nur den Rücken her, den keiner kennt. Sie wird doch nicht unten im schwarzen Wasser die Fische suchen?
Es braucht sich nicht herumzusprechen, mit wem sie in der Nacht auf der Eisenbahnbrücke verweilt.
Tabakwarengillich geht vorüber mit seinem Schritt. Der muß auch überall sein.
Der Scharrer sieht ihm mit unverhülltem Haß nach. Das wäre noch was, wenn man in einen so abgesicherten Kerl einbrechen könnte!
Doch ist Gustls Laune nicht glänzend. Es schmeckt ihm gallenbitter, daß er ohne Hilfe dasteht im Geschäft. Nun ist Frieda trotz aller Bitten auf die große Tour gegangen, von der sie erst in Wochen zurückkehrt.
»Wenn ich die auslasse, komme ich aus dem Kontakt,« lautet die lieblose Erklärung.
Nichts will sie auslassen. Gustl darf indessen im Laden den Bären mit dem Nasenring markieren. Wenn nur jetzt nichts daherkommt.
Gustl findet keinen Gefallen am Frühlingsspaziergang. Er ist einmal um den Brückenkopf geschlendert, schon wandert er über die Brücke wieder zurück. Der Scharrer steht immer noch da mit dem dummen Ding, das man eigentlich warnen müßte vor der Bekanntschaft, wenn man sich in fremde Angelegenheiten einmischen möchte.
Sie verstummen, als er vorbeigeht. Er spürt Blicke, die ihm wie Stiche folgen. Dann werden erregte Stimmen hinter ihm laut. Das Paar ist sich nicht einig. Es streitet. Gustl bleibt beobachtend unten am Endpfeiler stehn. Es schadet nicht, zu wissen, was dabei herauskommt. Vielleicht nichts Schönes.
Da packt der Scharrer das sich wehrende Ding mit dem Männergriff, hebt sie geradezu auf beiden gestreckten Armen über den offenen Fluß hinaus. Daß er sich das traut! Er will wohl anhand des Nähmädchens seine Freiübung machen?

Sie liegt flach auf seinen gestreckten Armen. Sie hält im Schreck still wie eine erstarrte Schlange, als sie die schwarze Tiefe verkehrt unter sich sieht. Ihr Kopf hängt nach unten. Er hat die Kniee gegen das Geländer gestemmt und lächelt verzerrt. Sie spürt deutlich die Ermüdungserscheinungen in seinen überanstrengten Muskeln. Sie spürt das Zucken. Gleich wird er nicht mehr können, wird nicht mehr Herr über seine Muskeln sein. Dann ist es zu spät.
Die unreine Lust an der Gefahr des anderen brennt in seiner Pupille. Im letzten Augenblick zieht er sie herein, der Sadist.
»Ich lasse dich doch nicht fallen,« flüstert er verlegen. »Ich wollte doch uns beide nur auf eine Probe stellen.«
Geschockt läßt sie ihn stehn, geht wortlos über die Brücke ab und heim. Es ist ihr in alle Glieder gefahren. Unten schließt sich Gustl zu ihrem Schutz an.
»Der muß spinnen,« sagt Gustl.
Der Scharrer harrt an der Stelle der ungesunden Anwandlung wie ein Berauschter aus, er mag sich nicht trennen. Er erlebt es wieder und wieder. Staunend starrt er in die Tiefe hinab. Er hat durchgehalten. Er muß sich bewundern.
Er ist oft selbst überrascht über das, was ihm plötzlich einfällt.
Ein Summen und fernes Signalläuten kündet einen Zug an. Der Steg schwankt. Schnaubend und stampfend wächst es heran. Der Wind reißt waagrechtes Feuer wie fliegendes Haar aus dem Schlot der Lokomotive. Die Stahlbrust bäumt sich, als wolle sie aus den Schienen springen. Dicht neben dem Scharrer dröhnt es über die Brücke, die in ihren Flanken zittert. Er tritt unwillkürlich zurück, wenn der heiße Hauch sein Gesicht sengt.
Das wäre noch was, sich die rollende Schwerkraft dienstbar machen. Da hätte mancher, der jetzt die Faust in der Tasche ballen muß, einen langen Arm. Dazu braucht es keinen wirklichen Mut.
Im Zug hätte er die ganze Blase beisammen.
Er wird ihnen zeigen, ob er ihnen Herr wird.

Ein Machttraum geißelt sein Gehirn. Er steht unbeweglich. Die Lust am Kriminellen ritzt seinen Blick.
Es sind nicht die physisch kräftigen Menschen, die ein Eisenbahnattentat verüben.

Im Lärchenwald zu Drenting liegen auf dem Nadelboden Hunderte von leeren Obstweinflaschen, welche die Heimzügler unterwegs weggeworfen haben. Jeden Montag nach dem Sonntag wandert der Ökonomensohn stundenweit durch den Wald und sammelt.
Gustls seine wird er nicht sammeln. Gustl hat sich nicht mit Flaschen versehn an seinem freien Sonntag. Er will kein Trinker sein.
Der Wein hat ihm nicht geschmeckt, trotzdem sie im Freien saßen, wo die Hühner picken, die Ameisen über die verwitterten Tischbretter laufen und von den Kastanienbäumen braune klebrige Schuppen in die offenen Gläser fallen. Der freie Himmel macht ihn diesmal nicht frei.
»Ich revanchiere mich ein andermal. Mir ist heute nicht gut,« sagt er zum Ökonomen. Damit ist alles erklärt.
Schuld ist Frieda. Sie gefällt ihm nicht, seine Genossin. Sie hat ihm den ganzen Nachmittag die merkwürdigsten Antworten gegeben.
Jetzt gehen sie heim durch den Lärchenwald. Die Abendsonne rötet die hohen Stämme und den rostfarbenen Nadelboden. Der Specht klopft weithin vernehmbar. Der Baum tönt unter seinem scharfen Schnabelhieb wie eine gespannte Saite. Sie haben Hundstaghitze an diesem frühen Maitag. Der Boden bäckt.
Sie schleifen mit den Schuhen über die glatten Nadeln, die ihre Sohlen speckig reiben. Überall knackt und knistert es trocken. Gustls kräftiger Hals leuchtet vom Hautbrand wie eine Fackel. Der Rettich aus dem Winterbeet stößt ihm auf, den sie einsilbig auf der Hängematte aßen. Er brütet verdrossen.
Frieda blickt intensiv. Dann sagt sie es plötzlich.

»Zu dir als zu einem Kameraden hätte ich mein Leben lang zurückkehren können.«
Gustl tut einen Satz, als sei ihm ein Hund zwischen die Beine gelaufen.
Mit ihnen wandert ein glitzriger Mückenschwarm, der sich fortwährend dreht. Manchmal senkt er sich auf Stirn, Hals und Arm, greift an mit saugenden Rüsseln, und Gustl teilt einen beiläufigen Schlag aus, daß das Kollektiv der Mücken einen halben Meter zurückweicht, vorläufig verbannt.
Wenn Frieda solche Worte als Abschluß eines bohrenden Gedankengangs findet, was verbindet sie damit für eine verdrehte Absicht?
»Ich glaube gar, es reut dich,« wirft Gustl einen Satz weg.
»Doch Gustl, es reut mich. Du brauchst eine andere Frau. So wie jeder von uns es haben muß, taugen wir nicht für einander.«
Er hält den Schritt an und starrt über die Nasenwurzel weg. Die Beleidigung kommt ihm zum Bewußtsein, daß er nicht taugt. Forschend späht er hinüber. Da geht sie auf Lärchennadeln mit abgeschliffenen Sohlen und wird von ihrem Tun nicht so völlig verzehrt, daß sie nicht den Vorsatz findet und die Zeit, ihren Nebenmann zu quälen. Sie hackt ja auf ihn ein wie der Specht.
Es wird höchste Zeit, daß sie Gehorsam lernt. Dann erst kann der Drachen steigen.
»Gut, daß du mich darauf bringst,« spricht Gustl bedeutsam. »Wenn es dich reut, dann hättest du dir das vorher überlegen müssen. Jetzt ist es zu spät, um daran was zu ändern.«
Dies setzt er in ihren Weg wie einen Block, an dem sie sich das Hirn einrennen kann. Nun beginnt Frieda auf eine merkwürdige Art sich zu schonen. Sie erblickt das Hindernis und geht einfach daran vorbei.
»Zu spät ist es nie. Daran läßt sich meines Wissens schon noch was ändern.«
»Ja so!«
Wenn Gustl langsam an Auffassungsgabe ist, Frieda will

nicht mit beiden Füßen in der Vergangenheit kleben bleiben, als sei sie damit verwachsen.
»Vergreife dich nicht am lieben Brot!«
Die Adern pochen an seinem sonnendurchloderten Hals.
»Ich habe mich schon lang vergriffen,« behauptet Frieda. Seine Schwerfälligkeit reizt sie. »Einmal muß es heraus. Dies tut nicht gut. Ich kann nicht mehr dafür einstehn.«
Gustl verschließt seine Gehörgänge, hört den hoffärtigen Übermut nicht an. Aber was hilft das, wenn Frieda bloß eine Bewegung zu machen braucht und es abstreift wie eine Schlange die Haut? Sie hat es sich gut überlegt in den Wochen der Trennung.
»Hier hast du diesen zurück, damit du weißt, daß ich nicht bloß so sage.«
Daß es ein Ring ist, was Gustl erblickt, läßt sich nicht leugnen.
Als hätte ihm jemand das Nasenloch aufgerissen, stürzt er auf sie zu, schleudert ihr den Ring aus der Hand, daß er zwischen die Wurzeln rollt, in dem Punkt ist er empfindlich.
Dann schlüpft er dem runden Ding in Lärchennadeln auf den Knieen nach, hebt den Ring auf und preßt ihn, als könne er ihn erweichen. Der Ring war ja kaum warm an ihrem Finger und so gut wie neu. Niemals gibt er den Ring ihr zurück. Nun muß sie darunter leiden.
Dann durchzuckt ihn ein Nervenschlag. Wäre sie imstande, ihn nicht einmal mehr zu nehmen?
Nun faßt er es auf, woran er mit ihr ist. Er starrt einen schwarzen Schacht hinauf und lauscht, ob ihm von dort noch Gnaden kommen. Er ist plötzlich auf dem Grund der Dinge.
Etwas kratzt in ihm und kratzt und er will sich befrein. Er schuldigt sie nacheinander des Ehebruchs und sämtlicher Laster an. Er sammelt die Übel, gewesen oder nicht gewesen, egal. In dieser Minute will er die Treulose umdeuten zu einem Ausbund.
Das könnte ich nie, so fühlt es Frieda. Was kommt da Unbekanntes in ihm herauf, läßt einem nicht den Wert?

»So sollte ein Mann eine Frau nicht gehen lassen, wenn sie schon gehn will,« sagt sie.
Er schweigt, weil sie ihm über den Mund fährt. In seinem Blick steht ein weher Funken.
»Warum hast du überhaupt ja gesagt?«
»Ach Gustl, wenn ich nein gesagt hätte, hätte ich dich ja hergeben müssen. Meine Schuld, daß ich das nicht gleich konnte. Ich mußte zuvor gescheiter werden.«
»Du mußt es ja wissen.«
Gustl fühlt sich ganz ohne Leben auf einmal. Er könnte einer Schnecke beim Kriechen zuschaun, bloß um einen Sinn in sein Dasein zu tragen.
Dies ist ein Hundetraum von der Verlorenheit eines Hundes, den man ausgesetzt hat. Wäre bloß der Rucksack nicht so verdammt leicht gewesen. Er wäre dankbar dafür, wenn der Riemen unmenschlich einschnitte. Dagegen könnte er an. Er möchte sich am liebsten den Teufel aus dem Leib schinden.
Beiläufig bückt er sich nach einer Flasche, den Sack zu beschweren. Das dort drüben müßte auch eine sein. Er streunt zwischen den Bäumen herum, sein Blick faßt wieder, sein Blick wird kundig.
Da und dort blinken sie, dünsten aus ihrer Mündung zwischen den Baumwurzeln vor. Die Spinnen laufen langbeinig darüber. Was zum Henker will Gustl mit den unausgewaschenen Flaschen in seinem Rucksack machen?
»Komm nur mit,« sagt er drohend zu Frieda. »Ich kann auch mit Flaschen am Rücken rennen. Ich hole dich dennoch ein. Du wirst mir nicht entgehn.«
Sie kommt nicht entfernt auf die Idee, Gustl die Flaschen aus der Hand zu reißen oder sich den Burschen, die vorn mit nackten Knieen das Holz durchwandern, anzuvertrauen. Sie steht schon so lang unter Gustls Schutz, daß er die Hand nicht gegen sie heben wird. Meint Frieda. Die Hand müßte ganz von selbst zum Blindgänger werden.
Draußen im Freien fallen dünne Gespinste vom Himmel.

Drinnen hockt es schon dicht und schwarz auf dem Boden wie Kaffeesatz. Gustl schüttelt den Kopf. Er schüttelt ihn wieder und denkt.

»Hätten wir nicht den Ausflug gemacht, wären wir nicht allein gewesen, dann hättest du es mir nicht gesagt.«

Die Stimme ist heißer. Kurz sind seine Gedanken. Nun, das ist doch kindisch. Frieda fängt an sich zu fürchten vor der Sturheit. Das ist ein wildfremder Mensch, der an ihrem Auf und Nieder ohne Ahnung vorbeistreift.

Sonst schien er sie halbwegs zu verstehn. Er paßte sich an schon aus Begierde. Das war, als es sich darum handelte, sie an sich zu ketten. Jetzt, wo die Interessen deutlich auseinanderstreben, kommt er nicht in die Versuchung, sich anzupassen. Frieda lauscht überrascht wie auf einen Tierlaut, den sie sonst nicht vernahm. Wenn er solche unerschöpflichen Ausgrabungen in sich macht, wer ist eigentlich Gustl?

Frieda ahnt schattenhaft, daß es keineswegs aus sein wird, wenn sie Schluß macht. Dann fängt was an, von dem niemand weiß, wohin es führt.

Hätten sie sich bloß nicht hineintreiben lassen!

Schon sehen sie einander kaum. Sie tappen von Baum zu Baum, stolpern über die Wurzeln. Die Flaschen klirren. Sie sind die Letzten im Holz, und Gustl überläuft es kalt. Er macht scheuchende Bewegungen. Versuchungen umsummen ihn wie lästige Wespen.

Hier hätte eine Tat im Wald verscharrt werden können. Unwillkürlich schleicht er.

Gustl will nicht so sein, wenn sie sich noch einmal bekehrt. Er bietet ihr eine letzte Gelegenheit. Erst an der Lichtung wird er sie stellen und fragen. Bis dahin geht sie sicher neben ihm wie ein Kind. Wenn es sich um gefallene Stämme handelt, nimmt er sie sogar an der Hand und führt sie.

Da ist die bewußte Lichtung.

Ein Stück Himmel geht darüber hin wie ein klarer Bach, in dem die Sterne splittern. Lärchen am Rand knarren unerbittlich mit langsamer Drehung.

Nun gibt es kein Ausweichen mehr. Gustl reißt sich zusammen, es rumpelt wahrlich.
»Und?!« flüstert er unheilkündend und tritt sie hart auf den Fuß, fesselt sie grausam an diese abgeholzte Stelle. Sein Rücken duckt sich gesammelt.
Er setzt sie seiner Pupille aus dichter Nähe aus, bläst sie an mit dem Hauch. Nun muß in sie übertreten, daß ihr letztes Stündlein geschlagen hat. Ein Nachttier raschelt durchs Gras. Sie hat verschwindend wenig Spielraum, zwei Seelen zu retten. Das geht mit dem Teufel zu, daß Frieda nicht einmal jetzt nachgibt. Sie wird zornig, weil er auf ihrem Fuß steht.
»Was und?«
Kann die Treulose auf keine Weise ihre Pflicht am Mörder erfüllen?
Auch gut. Dann war es nicht der Moment. Gustl tritt bitter zurück, und sie reibt sich den Fuß, dort wo der Schuh den Fuß freigibt.
Nun wird Gustl denn doch verstockt, wenn Menschen so geringes Talent zum Tod durch Gewalt aufweisen. Er wird warten, bis sie aus dem Wald sind, er hat es nicht eilig.
Bis er es tut, wird sie lernen müssen, sich zu fürchten, verdammt noch einmal. Sie mache es ihm nicht fortwährend schal. Er will an dieser seltenen Stunde eine Erinnerung für sein ganzes Leben haben.
Sie treten ins Freie und Gustl sieht zwischen den Weiden das tiefe Wasser blinken, in dem schon mancher ertrunken ist, einen hat er gekannt.
In plötzlicher Aufwallung biegt er vom Weg ab nach dem Weiher, reißt sich das Hemd aus der Hose wie einen Fetzen, steigt aus den ledernen Trägern, klatscht das Ganze hinter sich in atemloser Hast und wirft sich flach ins Wasser, direkt auf den Bauch, jetzt springt er nicht sportlich. Er kann sich überhaupt nicht konzentrieren.
Frieda geht ihm unruhig nach.
Ein verwundetes Tier hält im Wasser still, seine Wunde zu kühlen. Gustl tritt Wasser. Der Schopf hängt ihm in brei-

ter, triefender Bahn in die Augen, das ist seine Kappe. Sein Gesicht ist der zehrende Gram.
»Ich will dir nicht im Weg stehn,« sind seine denkwürdigen Worte. Dann geht er unter.
Ausgerechnet Gustl, der den Mund im Wasser offen lassen kann, sucht seinen Tod durch Ertränken. Er hätte sich zuvor sagen können, daß es ihm nicht gelingt, wenn er sich nicht die Arme mit Draht auf den Rücken binden läßt und sich einen Mühlstein um den Hals hängt. Gustl schwimmt zu gut. Der gequälte Kadaver rettet sich ohne Lungenschlag auf Grund der Übung.
Gustl hat keine Zeit, vor Scham zu ächzen, als er wieder auftaucht. Er findet Frieda, die vor Aufregung um sich schlägt, samt den Kleidern im Wasser. Sie hat um ihren Kumpel die größte Angst ausgestanden.
Muß da nicht Gustl mit ihr ans Ufer fliehn wie gestaucht, ihre Kleider auswinden, ihren Körper, weil er kein Handtuch dabei hat, mit der Hand trocken reiben?
»Du mußt dich bewegen, sonst erkältest du dich in der Nacht,« jauchzt er beglückt und treibt. »Du darfst nicht auf einem Fleck stehen bleiben.«
Dann ist ja alles gut, wenn Frieda noch so an ihm hängt. Dann kann ihm ja gar nichts passieren.
»Du bist bloß im finstern auf die wahnsinnigsten Gedanken gekommen,« sagt er zärtlich zu Frieda.
Er ist so irr und wirr. Er schüttet den ganzen Sturz Flaschen in den Weiher, weil er sie durch ein Rätsel nicht braucht. Kniefällig bittet er sie um Verzeihung für eine geplante Untat, er bebt und lobsingt in seinem Namen und fordert sie auf, ihm einen letzten Abschied zu gönnen.
Ja, nun ist Frieda inkonsequent. Sie gewährt ihm den Abschied.

Ein Mann wandert durch die Schütt. Von seinen Stiefeln hängen die beschmutzten Schnürsenkel herab. Sein Kragen ist aufgerissen. Über sein Gesicht ziehen sich von den Augen abwärts bleifarbene breite Bahnen. Manchmal schleift er mit beiden Fäusten über das irre Gesicht, hinterläßt eine neue Spur. Der Mann hat sich lang nicht gewaschen.

Er geht hastig und spricht mit sich selbst. Wahllos tritt er das Schilf nieder, das noch vom Hochwasser her mit bleichen Kalkhülsen umkleidet ist. Manchmal schlägt er seine Zähne in die Rinde von jungen Bäumen, kaut daran. Der Mann hat lang nicht gegessen.

Frieda Geier hat ihn verlassen.

An einem Sumpf bleibt er stehn, zieht den Ring aus der Tasche, hält ihn nah vor seine verwilderten Augen. Auf diesen Ring sammelt er seinen Haß. Er tut es seit Tagen.

Jetzt spritzt das Wasser unter seinem Tritt auf. Mechanisch umgeht er den Sumpf. Ein Vogel fliegt vor ihm auf, er ballt die Fäuste nach ihm, nennt ihn mit Namen Frieda.

»Ich stelle dich vor die Wahl,« flüstert er, »Frieda. Du wirst mich heiraten oder ich werde dich zurichten, daß niemand mehr etwas mit dir zu tun haben will. Du entrinnst mir nicht, Frieda. Ich werde immer dann kommen, wenn du es am wenigsten denkst. Ich bin hinter dir her wie dein schlechtes Gewissen. Du kannst dich nicht vor mir verstecken.«

Er stampft durch dick und dünn wie mit Hufen, rücksichtslos gegen sich selbst. Unter seinem blinden Tritt knickt der Halm, brechen Äste nieder. Er kämmt das Gebüsch mit weit aufgerissenen fühllosen Augen. Seine Stimme ist ausgeschrieen.

»Mich treibt es herum, Frieda, mich schreit alles an. Selbst die Luft schreit mich an. Du mußt das wieder gutmachen, Frieda. Auf der Stelle machst du, daß es so wird, wie es früher war. Sag mir nicht, daß du das nicht kannst.«

Aus den Büschen scheucht er die Vögel in Schwärmen, fast gleichzeitig fliegen sie auf. Sie drehen und treiben über ihm wie eine schwarze unruhige Wolke. Er scheucht sie mit den Armen, wenn sie sich wieder herabsenken wollen, spuckt nach ihnen aus, spuckt über sich, das Gesprüh fällt auf ihn zurück. Er könnte Luftsprünge machen, könnte in die Luft

gehn. Er ist so rasend, versetzt dem eigenen Körper Stöße aus Haß. Wenn er sich nur aus seiner Haut herausstoßen könnte.
»Ich habe es mit dir ehrlich gemeint,« flüstert er vor sich hin, »ich verfluche dich, Frieda. Jeden Gedanken verfluche ich, den ich für dich dachte. Jeden Bissen vergifte ich, den ich mit dir teilte. Jede Mark, die ich für dich springen ließ, soll dir ein Loch in deinen Beutel reißen. Du sollst schuften müssen wie nie zuvor, dein Geld soll nicht bei dir bleiben. Du sollst krepieren müssen am Weg. Und bis es so weit ist, soll jeder Tag dir eine Wunde in deine Seele wetzen. Du sollst nach einem suchen müssen und, wenn du ihn hast, sollst du dich vor ihm fürchten. Du sollst für ihn arbeiten bis aufs Blut, und er zählt dir jeden Bissen in den Mund. Er zieht dir die Haut ab bei lebendigem Leib und du sollst nicht von ihm loskommen. Verfluchen kann ich dich, das steht in meiner Macht. Zurückrufen kann ich den Fluch nicht und es soll mir um dich nicht leid tun.«
Der Mann richtet seine Augäpfel nach oben im zerstörenden Trieb; ihr Weißes ist gelb vom zügellosen Rauchen. Er weiß sich nicht zu lassen in seinem Drang nach Vernichtung. Er zieht ein Bein auf und steht in Zuckungen da.
Die Vögel sausen auf ihn los mit gesperrten Schnäbeln, schreien Krah! und werden dicht vor seinem Kopf hinaufgezogen wie ein schwarzes Tuch. Es sind Todesvögel. Der Schweiß bricht ihm aus. Ein unerklärlicher Zwang dreht ihm den Nacken.
Ein Windstoß facht das Laub an, als ob tausend gespaltene Lippen seine Verwünschungen rings um ihn zischen. Er kann die Füße nicht unter sich stillhalten, er rauft an seinem Haar. Er bekommt Angst vor dem, was er getan hat. Wenn seine Verwünschung vor ihm in einer Lache am Boden liegen würde, er würde sie Tropfen für Tropfen wieder aufschlekken, zurück in seinen Mund.
Er will es nicht wahrhaben, alles wird wieder gut. Der Mann wühlt sich aus dem Dickicht, setzt über Gräben, rennt weiter.

Auf der Landstraße laufen die Stiefel von selbst, klopfen auf festgebackener Schotterdecke einen eigenmächtigen Takt.
Leute kommen ihm entgegen mit Gemüsen vom Moos auf ihren Karren. Sie weichen ihm aus und blicken ihm nach. Ihn treibt es in die Stadt, in die bewußte Straße, vier Stiegen hinauf bis unter das bewußte Dach.
Er rüttelt an der verschlossenen Tür.
»Mach auf, Frieda.«
Er spürt, daß sie drin ist hinter der Tür, auch wenn sie schweigt, sich vielleicht in die entfernteste Ecke preßt. Die Tür kann ihm den Zutritt nicht verbieten, er muß ja hinein.
»Du bist drin. Ich weiß, daß du drin bist. Mach auf, Frieda.«
»Ich mache nicht auf.«
»Frieda, ich kenne mich selbst nicht mehr. Jetzt machst du auf.«
»Nicht in dem Zustand.«
»Frieda, ich geh nicht fort.«
»Wir haben uns nichts mehr zu sagen. Es ist besser so, glaub mir.«
Der Mann setzt sich an ihre Schwelle als Wachhund. Wenn sie ihn nicht einläßt, dann läßt er sie nicht heraus. Irgendwann muß sie heraus, aber er wird sie nicht lassen. Sein Verstand ist einfältig, hat eine einzige Falte.
Er wittert am Schlüsselloch wie ein Tier. Ein Lächeln lullt ihn ein, der süße Wahnsinn, der die Glieder schwächt. Er wird ihr verzeihn. Zärtlich kratzt er am Holz, lockt sie mit Schmeichelnamen.
»Du hast mir grenzenlos viel gegeben, Frieda. Ohne dich hätte ich nur vegetiert. Ich bin dir ewig dankbar.«
Drinnen die Frau hebt den Kopf. Etwas wankt in ihrer versteinten Miene.
Er wünscht ihr doch nichts Böses. Er will doch ihr nichts tun. Er wird ihr die Füße waschen, wird sie trocknen mit eigenen Händen, und wird es nicht müde werden, solang wird er reiben.

»Du bist frei,« wird er sagen. »Ich lasse dich im Guten ziehn.«
Nein, das wird er nicht.
Ein Knurren erreicht sie, das die ganze Tonleiter hinaufrast. Ein Bärenhieb schmettert gegen die Tür, und sie fürchtet, daß er sie einschlagen wird. Das Tier gebraucht seine Tatzen. Der Mensch in ihm klagt.
»Warum hast du mich nicht in meinem Zustand gelassen? Ich habe nicht gewußt, was mir fehlt.«
»Du wirst es vergessen.«
»Nein, ich vergesse nichts.«
»Geh fort! Ich mache nicht auf.«
Der Mann trommelt gegen das Holz.
»Du wirst schon noch sehn, was du tust. Wegen dir verrecke ich noch lang nicht. Ich werde mich zwingen zum Essen, ich werde mich zwingen zum Schlafen, ich werde mich zwingen zum Schwimmen. Ich will nicht vom Fleisch fallen, auch wenn dir das lieber wäre, auch wenn du möchtest, daß ich verrecke. Ein schlechter Mensch wird aus mir werden. Darauf lege ich es an, und wenn ich dann ganz schlecht bin, dann gebe ich mir freien Lauf, und du wirst schuld sein. Sie sollen mit dem Finger auf dich zeigen und sagen, das hat sie aus ihm gemacht.«
Er hat ihr mit dem Letzten gedroht, womit ein Mann drohen kann, er hat sie für alles verantwortlich gemacht, was aus ihm wird, wenn er sich nachgibt. Er versetzt der Tür noch einen Probeschlag und lauscht. Sie redet nicht mehr mit ihm, wie es scheint. Mühsam zieht er den Atem. Er fangt nach der Luft. Er bekommt keine Luft.
Die Frau wartet nicht mehr. Etwas krampft ihr das Gesicht von innen zusammen, macht es weiß um die Nasenwurzeln herum. Zu seiner ohnmächtigen Finsternis könnte sie nicht zurückkehren, solang sie noch einen freien Willen hat.

Bei den Fürbittenden Fräulein hagelt es Probeaufgaben. Nach ihnen werden die Zensuren gemacht. Die angestellten Leh-

rer nützen die Zeit vor der großen Hitze aus. Linchen Geier muß das Pensum in Chemie, Physik und neuen Sprachen wiederholen, bis ihr der Kopf raucht.
Dann gibt es eine Woche Stillstand. Was in dieser Woche passiert, wird nicht benotet. Die Lehrer werden geprüft, nicht die Schüler. Ein Herr von der Regierung hat seinen Besuch angemeldet.
Der jüngst eingestellte Herr Split wird totenbleich, als er es hört. Er ist im französischen Lehrfach durchaus nicht eingearbeitet mit den Kindern, hat noch keinen Kontakt. Sie verstehen seine Aussprache nicht. Sein Lispeln ist für sie chinesisch. Er blickt dabei in die Ferne, anstatt die Meute mit den Augen zu zähmen. Beim Diktat liefern sie aus Protest das leere Blatt ab. Er fühlt sich eigentlich nur sicher, wenn er ihnen den Rücken drehen und etwas auf die große Tafel schreiben darf, die Ableitung der Worte. Das ist sein besonderes Können. Und nun soll er, während er geprüft wird, keinen deutschen Satz mit der Klasse reden!
Herr Split ist ein unansehnlicher Mensch und zum Leiden bestimmt. Sein Gang ist hüpfend wie der eines Insekts auf blutlosen dünnen Beinen. Er tritt zum Beispiel in die Klasse, und die Schülerinnen verändern ihre Haltung nicht; ihn macht das verzweifelt. Niemand ist eingetreten, ein Lüftchen, und so winzig ist auch sein Name: Split. Nichts rettet ihn und macht ihn zu einem waschechten Franzosen in seinem Fach, nicht einmal auf seinem Kinn die Fliege.
Da hat er nun aus Minderwertigkeitsgefühlen die Zeit damit verbracht, daß er für sämtliche Klassen einen kalligraphischen Stundenplan ausschrieb. Die Anfangsbuchstaben haben Verzierungen aus roter Tinte. Man sieht den häuslichen Fleiß. Der Herr von der Regierung wird vielleicht, wenn er vorbeigeht, mit dem Blick darauf verweilen.
In allem, was Herr Split im stillen Kämmerlein erledigen kann, ist er rührend.
Am Vorabend des dritten Tags wandelt er übernächtig in seine drei Klassen. In jeder Stunde sagt er dasselbe:

»Wir wollen uns heute besondere Mühe miteinander geben. Nehmen Sie ein gewöhnliches Blatt, nicht das Heft, in dem Sie sonst Ihre Diktate schreiben.«
Herr Split diktiert mit sorgfältiger Betonung einen ausgewählten Absatz, in dem es von Fallen nur so wimmelt. Dann bespricht er ausführlich das Diktat und die Fallen. Er sammelt die Blätter ein und vernichtet sie in seinem möblierten Zimmer.
Da ihnen das Diktat frisch im Gedächtnis hängt, schreiben es die Schülerinnen vor der Prüfungskommission ohne Schwierigkeiten nieder. Im ersten Augenblick entsteht eine Stockung. Herrn Splits Fliege hüpft vor Schreck. Nun entscheidet es sich, ob sich die Schülerinnen verraten. Ob sie ihn verraten. Eine könnte aufstehn, vorgeben: »Das haben wir schon gehabt.« Dann haben sich die Mädchen gefaßt und schreiben das Diktat mit unnatürlicher Flüssigkeit nieder. Sie senken die Köpfe, sie schauen ihn nicht ein einziges Mal an.
Herrn Split tritt der Schweiß auf die Stirn, er spürt, wie sich seine Lüge neben ihn hinstellt und ihn zeichnet, die Lüge, in die er seine Schülerinnen hineinzieht. Dies Manöver wird sich in der Vorstellung der Mädchen für immer mit ihm verbinden. Einmal haben sie sich für ihn geschämt. Nie wird er eine Autorität sein. Er kann nur als kleiner Beamter in seine Klassenzimmer schleichen und seine Mitteilungen von Lehrcharakter gegen abweisende Wände flüstern.
Der Bericht an die Regierung lautet vielleicht über den englischen Lehrer nicht anders wie über Herrn Split. Aber der fremde Herr ist fort, und Herrn Splits Schülerinnen haben bereits einen Unterschied zwischen ihren Sprachlehrern gemacht. Sie haben sich in der Englischen Stunde wie ein Mann erhoben und dem Lehrer ihr Vertrauen ausgesprochen, weil er während der Prüfung seinen Unterricht auf dieselbe faire Art gab wie immer. Der Lehrer winkt ab nach einigem Grübeln. Er ist rot vor Freude geworden.
Besonders Linchen leidet unter der Täuschung. Ihr Gemüt

wird auch bei der nachfolgenden Besichtigung der fürstlichen Wäschereien nicht frei, wo ältliche Fräulein in grauen, weißgepunkteten Kleidern wie die Espen säuseln und vor den Fürbittenden Aufsichtsdamen in einem Hofknicks versinken.
Die Schülerinnen lernen ein kompliziertes Reinigungsverfahren kennen, das von ausgesuchten Chemikern eigens für die fürstlichen Wäschereien erdacht wurde, um die mürben Fäden von einer Wäsche zur anderen in ihrem Zusammenhang zu halten. Die fürstliche Wäsche ist uralt. Ihre Vornehmheit beruht in ihrem sagenhaften Alter.
Linchen Geier darf in der Stopferei durch ein dreihundertjähriges Taschentuch blicken, das ausschließlich aus haarfeinen Stopfgittern besteht und von der Vorführdame mit einer Feierlichkeit behandelt wird, als könne es ihr zwischen den Fingerspitzen in ehrwürdigen Staub zerfallen.
»Dieses Tuch steht natürlich in Gebrauch.«
»Wenn ich Fürst wäre, würde ich mich genieren, meine Nase in so was zu stecken,« flüstert Tutti, der Elefant.
»Das geniert die hohen Herrschaften durchaus nicht,« zirpt die Vorführdame verweisend. »Es würde im Gegenteil die hohen Herrschaften genieren, ein Linnen zu gebrauchen, das man für Geld im Laden erstehen kann.«
Dann wird der Maiausflug fällig. Die Zöglinge haben eigens für diesen Ausflug um Dirndlkleider nachhause geschrieben. In letzter Minute kommt ein vielkritisiertes Verbot heraus, sie zu tragen.
Fräulein Oberin hätte ihren Zöglingen gerne die Freude gemacht. Aber verschiedene Mädchen haben es so weit getrieben, sich in den Schlafsaal zu setzen und den Abnäher unter der Brust tiefer zu nähen, damit der Busen deutlicher vortritt.
Die Mädchen müssen sich wie stets vor ihren Lehrern in den Uniform-Säcken zeigen. Das gibt dem Ausnahmetag seinen heilsamen Dämpfer. Sonst ist es wie immer. Durch die Dörfer wird in geschlossener Kolonne marschiert und vaterländisch gesungen.

Der Professor in Naturgeschichte, der im Lüsterjäckchen aussieht wie ein Gymnasiast, hat vielleicht eine Kleinigkeit zu oft in der geologisch wichtigen Landschaft haltgemacht und seine Redewendung vom faltigen Antlitz der Erde anbringen müssen. Er leitet jeden Satz mit also ein und errötet ritterlich, wenn seine Schülerinnen auf seine Stichfragen die Antwort schuldig bleiben. Sie tun ihm dann so leid. Er hat sie blamiert.
Er erobert sich die Herzen zurück, indem er auf freier Landstraße einen Wettlauf vorschlägt.
Maria mit der harten Aussprache bekommt Hemmungen mitten im Laufen und geht den anderen, die an einem Meilenstein auf sie warten, betont langsam nach.
»Ihr hättet euch von hinten sehen müssen,« sagt sie überheblich.
Das Prätle, ein dickliches Mädchen mit lebhaft spazierenden Augen hebt in einem Wirtsgarten ein Stullenpapier, das ihr entglitt, vom Boden auf, und Elly regt sich schwer darüber auf, weil das Papier den Boden bereits berührt hat, wie ungesund. Die Unvorsichtige heißt Prätle von Prälat, weil sie glattes schwarzes Haar hat, das ihren Hinterkopf bedeckt wie ein kurzes Käppchen.
Ziska und Laura können sich unausgesetzt darüber unterhalten, daß das Prätle am Morgen zuerst die Zähne putzt und im selben Wasser die Hände nachwäscht, Schweinerei.
»Nicht soviel kritisieren,« mahnt die Fürbittende Aufsicht.
Elly mit den vorstehenden Augen schneidet hinter ihr her eine widerspenstige Grimasse. Der Mensch ist frei. Wenn Elly gezwungen wird, in der Kapelle in ein geöffnetes Gebetbuch zu starren, kann sie da nicht beim Buchstaben A bleiben und die seltsamsten Versenkungen in sich auslösen? Elly will Schauspielerin werden und läßt sich nicht einreden, daß sie dafür keine Figur hat.
Besonderes muß nicht verwarnt werden, es kommen keine übertriebenen Ausschreitungen vor. Bloß im Zug will die Schwäbin Bella der scheuen Magda ihr Federmesser wegneh-

men, und es endet damit, daß sich Magda das Messer aus Selbstbehauptung mitten durch die Handfläche stößt.
»Jetzt kannst du es mir ja herausreißen,« sagt sie verzerrt.
So eigensinnig kann die Büßerin Magda sein, der erklärte Liebling von Fräulein Matutina. Seit Magda im Kloster lebt und sich selbst frisiert, hat sie ihre Zöpfe bis auf einen armseligen Rattenschwanz aus den Wurzeln gestriegelt. So streng war sie mit dem Haar. Die Zögling soll sich so wenig wie möglich mit ihrer äußeren Erscheinung beschäftigen.
Die Aufsicht im Schlafsaal drückt beide Augen zu, wenn heute geflüstert wird. Schließlich sind die Kinder dreißig Kilometer in der Sonne marschiert und schlafen nicht ein vor Übermüdung.
Was aber soll sie dazu sagen, daß Elly auf den Einfall kommt, sich das Nachthemd aufzuknöpfen und schweren Flieder, den man ihr in einem Garten geschenkt hat, aufs nackte Brustbein zu legen? Sie weiß selbst nicht, warum sie es tut. Sie will entweder verklärt werden oder sich betäuben.
Fräulein Ephebia, die eigens auf Linchen Geier gewartet hat, flößt ihr vor dem Krankenzimmer kalten Baldriantee ein; der macht die Nerven mild. Linchen hat nachgerade das pflegliche Auge von Fräulein Ephebia auf sich gezogen. Sie fiel schon ein paar mal in der Messe um. Vielleicht verträgt sie das lange Knieen nicht. Sie hat ihr eigenes Fieberthermometer, das sie unerlaubterweise bei sich führte, abliefern müssen.
»Es ist nicht gut, wenn junge Mädchen wissen, was für eine Temperatur sie haben,« behauptet das Krankenfräulein.
Siebzehn Mädchen atmen tief im Schlafsaal von Gruppe III. Die Fensterscheiben stehen nach innen auf und lassen nicht allzu ferne Pfiffe von Zügen hören. Wenn eine Zögling sich aufkniet im Bett, sieht sie weit dahinten die Lichter der Bahnstrecke und rötlichen Dampf. Sie fühlt sich gefangen.
Die Luft ist rein und streng. In der Ecke hängt ein weißer Vorhang in starren Falten, die nach Oblaten duften, die

Leinwandzelle der Aufsicht. Er bewegt sich nicht mehr. Die Vorhangringe klirren nicht leise gegen die Stange. Keine schwarze Gestalt huscht hervor, um durch den Schlafsaal zu schleichen und auf die gebotene Zucht und Sitte zu achten. Nicht einmal die Hand zum Gutnachtsagen dürfen sich die Mädchen geben.

Wenn alle gleichmäßig atmen, darf auch das Fürbittende Fräulein sich hinlegen im steifen Häubchen. Sie trägt nicht den schwarzen Schleier im Schlaf. Das weiße Häubchen muß sie aufbehalten, damit sie nicht anstößig kahl ist, wenn ein plötzlicher Umstand sie aus der Zelle sprengt.

Das Mondlicht schiebt sich in reinlichen Rauten über siebzehn Betten, und wen es erfaßt, der dreht sich vielleicht um und spricht im Schlaf. Jetzt hat es Linchen erreicht, zeigt ihr Kinn, ihre Hände, die auf der Bettdecke liegen müssen, ihre weit offenen Augen.

Ist es nicht schäbig, wie man so lebt? Linchen sitzt aufrecht in den Kopfkissen, sie kann nicht schlafen.

Agathe rieb sich Pfeffer ins Gesicht, weil sie sich vor den Menschen verunstalten und Gott allein dienen wollte. Der keusche Aloysius war ein so unbeflecktes Gefäß der Wahrheitsliebe, daß ihm die Sinne schwanden, wenn einer in seiner Gegenwart eine Lüge über die Lippen brachte. Agnes aber verschwendete keinen Laut des Schmerzes, als sie auf glühendem Rost lag.

Und was hat Linchen Geier getan? Steht sie nicht mit leeren Händen vor dem, der ihr befahl, mit ihrem Pfund zu wuchern? Er, der zum Lahmen sprach, steh auf, nimm dein Bett und geh, bis jetzt hat er das unerhörte Wort nicht ihr eingeflüstert. Wenn er ihr doch einen Fingerzeig zukommen ließe, der sie aus der Norm heraussprengt. Linchen wartet darauf. Sie verlangt nach einer Berufung.

Mutter Menas Küche ist ein Palast, in dem sie herrscht von Aufgang der Sonne bis Niedergang. Alles gereicht ihr zur größeren Ehre und Verherrlichung.

Darum sind ihre Kinder die schönsten und besten, ihre Methoden die einzig richtigen. Sie strahlt eitel Ordnung und Zuversicht aus, und die ihr dienen, nehmen daran teil, auf daß es ihnen wohlergehe auf Erden.

Jene aber, die sich wider sie empören, müssen zu Schanden werden. Wenn sich Gustl, der verlorene Sohn, ihrem Instinkt nicht widersetzt hätte, müßte er sich jetzt nicht in Sack und Asche in ihre Küche schleichen, wo man ihm am Katzentisch sein Mittagessen serviert.

»Ich habe keinen Löffel,« murmelt der Bestrafte.

»Wer alles so genau weiß, daß er auf seine alte Mutter nicht hört, kann ohne Löffel essen,« duckt ihn die beleidigte Matriarchin.

Dann wirft sie ihm aus Gnade und Barmherzigkeit doch einen unansehnlich gewordenen hin, ihren letzten aus der Reihe.

Mutter Mena zeigt keine übertriebene Schonung mit einem Sohn, der seine Liebste so wenig im Zaum halten konnte, daß sie ihm auskam, bevor die wahre Ehe begann. Da ist ihm ein Stein aus seiner Krone gefallen.

»Deine Mutter hat es dir im voraus gesagt.«

»Fang mir nicht wieder davon an.«

Soll Mutter Mena nicht zu Wort kommen, wenn sich ihr Instinkt als unfehlbar erwiesen hat? Wer war denn für ihn da in den Zeiten der seelischen Verwilderung und hat den Leuten seinen vorübergehenden Zustand erklärt? Wer ist für ihn eingestanden? Wer hat eine Aushilfe für ihn besorgt und den Laden nicht ganz umkommen lassen? Sie war unermüdlich um ihn herum, als sein Leben an einem Faden hing im Niederbruch der Nerven. Jetzt wo er wieder fieberfrei ist und ein Trumm Mannsbild dazu, kriegt er den ganzen gestauten Zorn an den Kopf.

»Du wirst noch merken, auf wen du angewiesen bist. Die Fremden geben dir nichts.«

Da muß Gustl denn doch den Löffel in den Napf hinschmeißen, als hätte er an den heißen Bohnen sich den Mund ver-

brannt, wenn man Frieda, die einmal die Seine war, unter die wildfremden Passanten rechnet.
»Wenn eine Schluß gemacht hat, dann ist sie wieder fremd. Oder willst du ihr noch einmal nachlaufen und ihr das Stehauferl machen?«
Sie hat den Krauler an seiner empfindlichen Stelle getroffen, er richtet sich auf. Fordernd blickt er in eine größere Weite, entdeckt in sich einen ausgewachsenen Cäsarenwahn.
»Und wie steht es damit, daß du telefoniert hast?«
Schon muß Gustl einen leisen Rückzieher machen. Die Mutter weiß zuviel und will nicht an ihn glauben. Sie hat auch keinen Grund, daß sie an ihn glaubt, wenn er sich wie jetzt vor den Spiegel stellt und seine Jacke kritisiert. Sogar vor ihr steht er wie ein Gockel da.
»Mein Ärmel ist zerrissen,« sagt er überflüssigerweise, er hätte einen aus Eisen gebraucht.
»Es ist das einzig Wahre, wenn du ihn dir von deiner Verflossenen flicken läßt,« spottet die Mutter. »Du kannst ja hingehn mit Nadel und Faden. Aber du wirst davon, daß du kein Loch im Ärmel hast, auch nicht besser wie ein Hampelmann in ihren Augen.«
»Mach deinen Sohn nicht ganz verrückt,« sprechen selbst die Verwandten.
Zucht kommt vom Ziehn. Die Mutter zieht kräftig nach ihrer Seite und immer noch muß sie erleben, daß ein Gegenzug da ist. Würde sonst Gustl sich in schamloser Eile mit dem besten Anzug bekleiden, den noch die Mutter bezahlt hat? Er sucht eine von Friedas Krawatten aus, die bunte, er kommt daher wie ein Specht.
Frieda kennt zwar den alten Anzug, aber alles hat seine Grenzen. Gustl setzt als der frühere Liebhaber seinen Ehrgeiz darein, in nicht geringer Kleidung zu erscheinen. Er will keine Fehlfarbe sein.
Nichts geht aufs erste Mal in diesem Landstrich. Seine Bewohner brauchen mehrere Schläge, um den Keil hineinzu-

treiben. Dann allerdings sitzt er tief. Gustl hat eigensinnig auf einer letzten Aussprache bestanden.
Frieda müßte es sich ja nicht auftun. Wenn man ihr nicht fortgesetzt mit Gustls Ohnmachten und Werthers Leiden in den Ohren läge, hätte sie ja nicht zugesagt für die Zusammenkunft an einem öffentlichen Ort.
Gustl tilgt die Verwahrlosung, die an ihm haftet seit seinem großen Schmerz. Er striegelt den Schopf mit Kamm und Bürste. Bereits gestern hat er sich aus Vorfreude die Nägel viereckig geschnitten. Jetzt schüttet er Kölnisches Wasser in ein riesiges Taschentuch, um den Sinnen zu schmeicheln.
Ist denn Gustl gesonnen, unaufhörlich sein Taschentuch zu zücken und ganze Schwaden von Duft zu entfesseln? Im Gegenteil. Er will sich der äußeren Aufmachung entledigen, wenn sie ihre Wirkung getan hat. Dann will er sich zeigen nur mit der Badehose bekleidet und seinem natürlichen Reiz. Daher die Wahl des Orts. Er will sie am Plan, wo alle ziemlich entblößt sind, in Schreckstellung bannen. Dann will er sie herumkriegen, wenn er sie gebannt hat.
»Der ist so blöd, daß er nichts lernt,« spricht die Mutter. »Da rennt er noch einmal hin. Ich glaube gar, er hat seine Handschuhe mitgenommen, der Geck.«
Und doch hat er was gelernt.
Der Sohn der Sippe hat sich was ausgedacht in all diesen Wochen. Er hat den festen Vorsatz, das sinnenfreudige Weib mit seinem noch ungezeugten Kind zu beschweren. Er wird sie schon in die Lage versetzen, in der eine sich auf den natürlichen Vater besinnt. Dies ist sein radikales unter den Mitteln.
Nun kommt es bloß darauf an, daß das Weib ihm Gelegenheit gibt, es an nichts fehlen zu lassen. Gustl sehnt sich nach Naturlauten wie sonst nie. Er beschwört den Duftstoff, der die Aufsässige zahm macht. Er könnte kniefällig werden, er könnte, was ihm bislang fremd blieb, zum Vater der Zeugung stammeln.
Am Plan ist es menschenleer um diese frühe Mittagsstunde. Bloß die Landespolizei spaziert im Gänsemarsch über den Steg und stellt sich zum Startsprung auf. Sie hat das Gelände

für bestimmte Stunden gepachtet, um alle Arten von Süßwasser kennenzulernen.
Es ist eine von Gustls Starmanieren, wenn er um die geheiligte Zeit den Betrieb stört.
»Ich habe in der Herrenabteilung was liegen lassen,« behauptet Gustl verlogen.
Die Landespolizei ist so gut mit ihm bekannt, daß sie ihm keinen Prügel in den Weg schmeißt.
»Servus, Gustl,« sagt die Polizei. Zu Frieda, von der das Gerücht einer Entlobung geht, sagt sie nichts.
Einmal in die Herrenabteilung vorgelassen, kann Gustl ja voll geheucheltem Eifer nach dem verlorenen Gegenstand suchen, während Frieda sich zum Sonnenbad umzieht. Damen brauchen eben länger.
Gustl heuchelt nicht mehr. Er klopft an die Tür der Damenabteilung.
»Kann ich hineinkommen?« überfällt er sie jäh.
»Ich bin noch nicht fertig.«
Da Gustl weiß, daß der Riegel in der Damenabteilung nicht mehr funktioniert, bleibt ihr bestimmtes Sträuben eine leere Geste.
»Nur nicht wild werden,« sagt Gustl schonend. »Ich habe entdeckt, daß die Bank zum Massieren in der Damenabteilung geblieben ist, und ich brauche die Bank.«
»Du kannst dich doch nicht selber massieren.«
»Ich massiere dich. Du wirst dich haarscharf erinnern, daß dir die Massage längst vermeint war. Ich bin sie dir schuldig.«
»Gustl, es hat keinen Zweck. Gib es auf.«
»Darüber reden wir nachher, wenn du massiert bist.«
Gustl hat schon fremdere Personen geknetet, um etwas dabei zu finden. Er spottet Frieda aus, wird der Sportkamerad wie er leibt und lebt. Frieda muß sich in Null-Komma-Null zur Streckbank bequemen, um nicht auf einem Sportplatz der Lächerlichkeit zu verfallen.
»Du massierst mich nicht hier. Du massierst mich draußen auf dem offenen Steg.«

»Auch das.«
Gustl schwingt die Bank, geht auf alle Bedingungen ein. Er ist ein solcher Gönner. Er hat das Licht der Sonne doch nicht zu scheun. Frieda muß sich schon nicht vor einem Überfall fürchten.
Er trägt bloß die Bank an die entlegenste Ecke des Stegs, um die Landespolizei nicht zu verwirren.
Ist das nicht herrlich, wenn sich Frieda nach dem Kommando eines Sportkameraden auf den Bauch legen muß und er ihr die Nivea-Creme in die Nackengrube klatscht? Nivea fängt zu fließen an auf der besonnten Haut. Gustl arbeitet, daß ihm der Schweiß in Perlen auf der braunen Brust steht. Er vertraut darauf, daß sich Menschen rascher durch Berührung als durch Worte verständigen.
Es ist eine eigene Sache um den Arm, zu dem man plötzlich Sie sagen soll und den man solange geduzt hat. Frieda kann sich nicht helfen, sein Griff ist ihr so vertraut. Sie fühlt sich bedient, wenn er sie so kräftig hernimmt.
Gustl macht es keineswegs zum Schein. Er setzt seine Ehre darein, daß ihr Blutkreislauf an jenen Stellen zirkuliert, die sonst vernachlässigt bleiben. Wie mit dem doppelten Wiegmesser hackt er ihren Rücken, greift an den Schultern durch und drückt auch aus den Kniekehlen die Ermüdungsstoffe heraus. Es ist die wundervollste Freiübung, die er seit langem gemacht hat. Ein Kleinod hat er zwischen den Fingern. Jauchzend peinigt er ihre Waden, weil es denn sein muß. Frieda wirft den Kopf herum und pfeift nach Art einer Ratte.
»Du bist nichts Gutes gewohnt,« lacht er hellauf. »Außerdem hat auf dieser Bank mancher schon ganz anders gepfiffen.«
Der Masseur täuscht sich indessen, wenn er glaubt, sie wird auch seinen sonstigen Vorschlägen willfährig sein. Die Bank, die schon mancher Paare Kupplerin war, übt auf sie keine Macht aus. Sie hat sich in der Gewalt, er mag noch so kundige Griffe plazieren.
»Mir scheint, wir sind fertig,« sagt sie, als er sich plötzlich vergreift. Er muß lernen, daß es nicht drin ist. Sie setzt sich auf.

»Fertig, vielleicht,« murmelt Gustl. »Wir könnten in den Stadtgraben gehn, nachdem wir uns angefreundet haben.«
»Da hast du falsch gedacht.«
Nur jetzt keine irrige Meinung aufkommen lassen.
Gustl traut seinen Ohren nicht. Es ist ihm stets aufs Neue ein Rätsel, wie wenig sie sich der Natur unterwirft, wenn sie es anders vorhat. Sie ist etwas mitgenommen von der Massage, hat aber ihren eigenen Kopf auf. Von ihm läßt sie sich nicht verführen.
Nein, sie geht nicht mit ihm spazieren. Sie kam, zu hören, was er ihr vorwirft. Sie will die Vorwürfe mit ihren eigenen Einsichten entkräften, will einen Verbündeten aus ihm machen durch Einsicht, keinen auf sich selber versessenen Feind. Aber anscheinend geht das nicht.
Wie denkt sie sich das eigentlich? Wenn sie ihn drei Schritt vom Leib hält oder die Landespolizei zum Zeugen hat, wie soll Gustl zum Henker sein Korn in ihr unterbringen?
Nur das Korn kann noch das Wunder wirken.
Abermals ist er geschnellt.
Muß Gustl ihr wirklich, damit sie einhält im vermessenen Tun, den Verfall seines Kadavers vorführen. Er fordert sie auf, seine Rippen zu zählen, prahlt damit, daß sein Knie auf den Hieb eine bedenkliche Reflexbewegung macht, das sind die Nerven.
»Jetzt paß auf,« sagt er und läßt das Bein noch einmal schnellen, er liefert sich ihr freiwillig in verkommenem Zustand aus. Sein Zustand klagt sie an.
Die Auszehrung aus Liebe hat ihn erfaßt. Der Sohn der Schutzinsel fällt ab vom Fleisch. Und das sieht sie mit an, ohne Reue und Leid zu erwecken und will sich nicht bekehren?
»Es freut mich nicht, Gustl. Aber ich kann dir nicht helfen.«
Wenn das nicht seiner spotten heißt! Gustl muß schon wieder drohn.
»Du glaubst, daß man mit mir so umgehn darf?«

Das ist gedonnert, bald schlägt es ein. Frieda kennt sich hoffentlich aus.
Sie schluckt die Entgegnung hinunter, weil sie doch nicht verstanden wird. Der Graben läßt sich nicht überspringen. Es sind eben zwei Welten.
Gustl strömen die Worte ganz von selbst zu.
»Ich sollte einen ausgewachsenen Rettich in der Kantine bestellen und dich damit erschlagen.«
»Du tust es ja doch nicht,« sagt Frieda ungeduldig.
»Bisher hast du mir leid getan, aber jetzt tust du mir nicht mehr leid.«
Sie soll merken, daß seine Liebe tief wie der Wahnsinn ist und vor nichts zurückschreckt.
»Also dann muß ich dich für die Folgen verantwortlich machen. Schuld bist nur du.«
Hätte sie sich ein Kind von ihm machen lassen, die ersten Jahre wäre sie angehängt in jedem Fall.
Aber sie hat bloß Sprüche für ihn auf den Lippen. Das sind nicht die Mittel. Sie müßte ihm ganz anders kommen, sich auf Gnade und Ungnade ergeben.
Durch welche Teufelei stehn Frieda die hellen Tränen in den Augen? Sie will den Mann wohl glauben machen, daß sie nicht völlig zum Abschaum gehört.
»Deine Krokodilstränen kannst du dir sparen.«
»Gustl, wir reden uns bloß auseinander. Gustl, es hilft nichts.«
Sie reicht ihm die Hand zum Abschied als Asketin im kurzgeschnittenen Haar.
»Das kann ja gut werden,« höhnt er ihr nach.
Inzwischen haben sich auf dem Steg fast seine sämtlichen Bekannten eingefunden. Jetzt wo Gustl sie aufgibt, wo er keine verschmähten Lippenbewegungen mehr macht, nimmt die Zivilbevölkerung an seinen Herztönen lebhaften Anteil. Gustl, der vor ihren sehenden Augen schlecht behandelt wurde und wundersam abgemagert ist, kann sich nicht retten vor den Sympathien, die man ihm zeigt.

Er fällt nicht heraus aus der Masse.
Man nimmt deutlich für ihn Partei.
Dagegen muß Frieda, als sie nach dem Ankleideraum wandelt, Spießruten laufen. Bei ihr handelt es sich um die unglückbringende Person, die einem Sportler die diesjährige Meisterschaft versaut hat. Und das ist nur ein Übel unter den anderen. Sie fällt aus der Masse.
Noch fühlt Gustl sich so wenig zum Schlächter Friedas geboren, daß er seine alte Badehose, auf der sie lag, zusammenwickelt und an die Stelle des Herzens schiebt.
Es gibt einige, die das Manöver beobachtet haben.
»Wie du der Person nur so nachhängen magst,« entlarvt Raupe sein Tun.
»Das verstehst du nicht,« windet sich Gustl.
Wie soll er die Hand, ohne lahm zu werden, gegen Frieda erheben?
Da sitzt er auf der Streckbank und schüttelt den Kopf, schüttelt ihn eine ganze Weile. Es geht in seinen Schädel nicht hinein.
Der Sündenleib, dies Unterpfand seiner gottähnlichsten Spiele, ist tabu für ihn geworden.
Gustl wird nie mehr der sein, der er war.
Aber ungestraft geht ihr das nicht hinaus. Das muß sie ihm büßen.
An dem belebten Tag hat sich der Badesteg zu einer Art Börse entwickelt. Sammler, die ein Sonnenbad nehmen, tauschen seltene Briefmarken aus. Der Nachwuchs handelt in Flaggenkarten. Raupe hat soeben eine junge Katze erstanden, die Überzählige aus einem Wurf.
Das Tagesgespräch ist der Einbruch beim Installateur Brandl. Vom Täter fehlt jede Spur.
»Das kann bloß ein Schlosser gewesen sein,« behauptet der Scharrer.
Die Umstehenden fliegen nicht auf seine Behauptung. Das Interesse dafür bleibt eher schal. Automatisch bildet sich eine Lücke um den Mann, gegen den ein Verfahren schwebt,

wenn auch der Spruch noch nicht gefallen ist. Wenn einer vom Vorstand anwesend wäre, er hätte den Scharrer schon lang vom Gelände verwiesen.
Jetzt bietet ein Mitglied des Sängervereins eine Fahrkarte nach Budapest an. Er hatte sie bestellt und kann sie nicht ausnützen, das ist jetzt dumm. Alle, die sich von einem Sängertag was versprechen, haben schon ihre eigene Karte besorgt. Das Mitglied wird doch nicht darauf sitzenbleiben.
Das Mitglied findet seinen Abnehmer doch noch, nachdem es sich im Preis drücken lassen mußte. Einen, dem niemand zugetraut hätte, daß er soviel Geld auf den Tisch legt, den Scharrer.
In Wirklichkeit will der Scharrer trotz der Karte für den Sonderzug am nämlichen Tag bereits mit dem Frühzug fahren. Er steigt schon lang vor der Grenze aus. Er hat mit seinem Kauf bloß für ein Alibi gesorgt. Alle sollen es wissen, daß er im Sonderzug mitfährt. Und wenn ihn einer nicht sieht, dann ist er eben in einem anderen Wagen.
Da hat Gustl eine Erleuchtung.
Zufällig sah er ihn gestern für das nämliche Datum schon eine andere Fahrkarte lösen und zwar für eine Strecke, die kürzer war. Warum muß der Scharrer mit dem Sonderzug auch noch fahren, wenn er schon mit dem früheren Zug fährt? Er kann sich doch nicht zerteilen.
Gestern war es die gequetschte Stimme, die Gustl aufmerken ließ. Etwas daran hat ihn irritiert. Gustl hat sich sogar in den Seitengang gedrückt, bevor ihn der andere sah. Er war es leid, ihm zu begegnen.
Gestern hat Gustl sich soviel nicht dabei gedacht. Jetzt denkt er sich mehr, aber das muß eine Einbildung sein. Wenn er sich die Zeit dafür nähme und wäre nicht so geplagt, dann würde Gustl den Scharrer überwachen.
Er wird es Frieda schon zeigen.
Wenn Frieda ihn nicht drüberläßt, wenn sie ihn aussperrt, dann wird es immer noch Linchen geben. Er ist Manns genug, um das Kind, auf das Frieda verzichtet hat, ganz ohne

ihr Zutun in ihrer Familie unterzubringen. Es soll ihm eine wahre Genugtuung sein, die junge Schwester, mit der Frieda so hoch hinauswill, mit einem Bankert sitzen zu lassen.
Da würde Frieda schaun, fast könnte er lachen. Denn dann brauchen sie ihn. Sie werden ihn immer brauchen.
Frieda soll sich nur nicht beklagen. Denn das verwindet sie nie. Damit kann er ihr am meisten an. Die wird noch an ihn denken.
Die Hexe, die niemals ja und amen zu seinen Vorschlägen sagt, soll die natürlichen Machtmittel des Mannes kennenlernen.
Es gibt noch Machtmittel des Mannes, die folgenschweren.
Es war nur ein Gedanke, natürlich. Aus dem Gedanken wird ein Brief. Gustl schmuggelt ihn ins Kloster hinein durch eine Externe. Den Brief straft Linchen mit Schweigen.
»Von mir aus!«
Bei ihm war das gar nicht so wild. Einen Versuch kann einer doch machen.
»Geehrtes Fräulein!« schrieb er.
»Das Leben Ihrer Schwester befindet sich in meiner Hand. Es hängt nur von Ihnen ab, ob ich Gnade für Recht ergehen lasse. Erwarten Sie meine Befehle. Vertrauen Sie sich keinem an. Wenden Sie sich an niemand. Ihre Schwester müßte es teuer bezahlen. Vernichten Sie diesen Brief.
Einer, dem man übel mitgespielt hat.«
Aber auf das Couvert schreibt er den Spitznamen hinten drauf, damit sie weiß, mit wem sie es zu tun hat.
Gustl liest solche Bücher.
Andere Briefe kann er nicht schreiben, wenn er sich was vom Herzen schreiben will.

Linchen hat lang nicht gewußt, daß es den Mann überhaupt gab. Sie hat ihn nur einmal gesehn. In den Ferien lief sie ins unrechte Zimmer. Der Mann sah wie ein Nußknacker aus, etwas zog sich in Linchen zusammen. Warum warf Frieda sich weg?

Linchen vertraut sich keinem an. Sei vorsichtig, Frieda!
So also sind Männer.
Linchen weiß auch sonst, wie Männer sind:
In der Nacht wachte sie auf, das ist schon Jahre her, sie war noch nicht im Institut. Sie war aufgewacht von den Stimmen. Sie schaute aus dem Fenster im ersten Stock, da sah sie ein Fräulein hüpfen. Es hüpfte hinauf an einem Soldaten, der groß war, und hängte sich an seinen Arm, er stieß sie weg. Das war eine, die nicht daran glaubte. Denn wieder hüpfte sie an ihm hinauf und wollte dran hängen. Er stieß sie immer weg, und mit dem Hüpfen und Stoßen kamen sie die ganze Straße voran. Linchen sah sie noch weit weg, sah die Silhouetten gegen die Laterne und hatte noch die Stimme im Ohr. Nur kurz schluchzte das Fräulein auf, dann immer er, aber er höhnte: »Geh nur zu deiner Mamma, sags nur, was du getan hast, sags ihr, daß sie die Großmutter wird. Alimente braucht der Soldat nicht zahlen,« höhnte der Soldat. Dies vergebliche Hüpfen hatte sich tief in Linchens Seele eingegraben.
Und wieder war es ein Mann, der hatte Fräulein Matutina tief zwischen den Schritt gefaßt, daß sie auf dem Weg niedersank wie gelähmt und sollte doch all die Zöglinge hinter sich führen. Der Mann kam einfach daher und schaute die Nonne unverschämt an und griff schon, daß sie hinsank am hellichten Tag, die lange weibliche Spazierschlange hinter sich, Zöglinge in Corsetts, und alle Mädchen vorn waren die Zeugen, mindestens ein Dutzend Zeugen, wo es doch die eigene Lehrerin war, Mathematikstunden gab sie, und nach hinten verbreitete sich schon das Gerücht. Und den zwei Begleiterinnen der Nonne, den verwirrten halbwüchsigen Mädchen, stand er direkt vor den Füßen herum und dann ging er weg und sie hoben eine bleiche Nonne auf mitsamt der Scham. So konnten Männer sein. Sie waren nur so.
Linchen weiß es nicht anders.
»Erwarten Sie meine Befehle.«

Gustl steht neben dem Häuschen für Männer im Gebüsch und wartet, bis sein Zug eingefahren ist, der Frühzug. Er läßt die anderen vor ihm einsteigen, läßt den Schwarm sich verlaufen. Seine Fahrkarte hat er schon gestern gelöst. Sie gilt vier Tage. Der Zug steht noch immer.
Gustl drückt sich die Sportmütze tief ins Gesicht. Dann schlendert er beiläufig den Perron entlang, löst eine Bahnsteigkarte, es rasselt. Gustl hat keine Reise vor für den Fall, daß er einen Beobachter hat. Er muß nur schnell den Zug entlanglaufen, um einem Bekannten etwas einzuschärfen. Man kann sich ja auf keinen von diesen Proleten verlassen.
Gustl läuft spähend den Zug entlang bis nach vorn, wo das Gewirr der Geleise sich teilt. Bis jetzt hat er seinen Bekannten in keinem Wagen entdeckt. Schon ist Gustl im vordersten Abteil verschwunden, in der Nase vom Zug, wo außer ihm keiner sitzt. Von dort will er die Aussteigenden überblicken auf den Stationen. Er will am frühen Morgen eine Schlinge legen, worin am späten Abend der Kopf eines anderen steckt. Wenn er recht hat, natürlich. Gustl hält ein paar Handschuhe in den Fingern, womit er von der einen Hand in die andere schlägt. Dann steckt er den Handschuh weg. »Will der Zug gar nicht abfahren?« flüstert er instinktiv. Er raucht seine dritte Senoussi in der kurzen Zeit auf.
Jetzt pfeift der Zug. Gustl kann sich hinsetzen, schon tritt der Kolben das Rad. Da wird mit einem Ruck ein Gitter hochgerissen, ein Rucksack heraufgeschoben. Die Person, die zu spät daran ist, klettert nach. Die Person hat den nämlichen Einfall wie Gustl gehabt, ganz nach vorn zu laufen. Die Person hat nur den Nebenwagen erreicht, der ebenso leer ist.
Gustl linst um die Trennwand, gestattet sich das einzelne Auge, weil man an einem Auge ihn noch nicht erkennt, aber mit einem Auge den anderen erkennt. Es paßt ihm gar nicht, daß er den Scharrer sichtet, seinen Verdächtigen Nummer eins, den er lieber von weitem beobachten wollte. Er hält sich jenseits der ledernen Ziehharmonika auf der zugigen Plattform auf, viel zu nah. Der Hund, der ihm den Weg

abgeschnitten hat, so daß Gustl nicht mehr die Wahl hat, ißt Bananen auf den nüchternen Magen. Gustl kann nicht einmal beim nächsten Halt hinüberwechseln in einen anderen Wagen, unweigerlich wird er gesehn. Wenn der Kerl bloß drüben bleibt hinter der Ziehharmonika! Wenn er bloß nicht merkt, daß ein Beobachter hinter ihm her ist!

Gustl ist blaß geworden, er leuchtet vor Blässe, man könnte ihn im finstern benutzen, um Zeitung zu lesen, jedoch ist es nicht finster. Er raucht seine Senoussi, die teure Marke, ohne jede Kennermiene auf. Es hätte ebensogut eine Sport sein können, sie schmeckt ihm auch nicht. Dann hört er ganz auf zu rauchen. Der Scharrer könnte auf die Idee kommen, einen, der sich durch Rauch verrät, zu identifizieren.

Immer wenn er auf dies Gesicht stieß, hat es sich um eine Lumperei gehandelt. Aber der Lump war der andere, und Gustl war der Mann, der durch den Kontrast gewann.

Wie ist es heut? Schlummert nicht der Gedanke in ihm, den er nicht wahrhaben will, den er beizeiten verdrängt? Klopfgeister melden sich. Der strenge Schweiß tritt ihm aus der Stirn, des Gewissens gußeiserne Tränen.

Gustl, der Dutzende von Malen den Gottlosen frei ausgehen sah, wer garantiert ihm, daß seine eigene Gottlosigkeit nicht vom Teufel geholt wird?

Er ist so unruhig. Bei jeder Station hält er vorsichtig den Kopf hin, seinen Belli. Er gestattet sich sein einzelnes Auge, ob der andere sich nicht vorzeitig verzieht. Er will ihn unter Kontrolle behalten.

Als der Scharrer nach zwei geschlagenen Stunden aussteigt, sieht Gustl sich auf dem Bahnsteig gezwungen, daß er eine Bekanntmachung der Bahnpolizei vom ersten bis zum letzten Buchstaben liest und dem häßlichen Zeitgenossen Gelegenheit gibt, sich erst einmal zu verlaufen. Nicht zu weit für die Reichweite eines Mannes, der ihm auf der Spur bleiben soll. Hat der Verfolgte Verdacht geschöpft, weil er weiter vorn stehenbleibt, und will er ihn vorüberlassen? Er liest ebenfalls einen Anschlag.

Der Scharrer ist wohl ausgestiegen, um Gustl zu kopieren? In Gustl schwirren die Gedanken. Gustl kann sein Verhalten schon beinahe nicht mehr als Zufall deuten und geht wutschnaubend auf Herren.

In Wahrheit ist der Scharrer nicht wenig erschrocken. Er hat den Zigarrenhändler erst bemerkt, als er hinter ihm ausstieg. Sein Alibi ist entwertet. Er ist überführt, daß er den früheren Zug benützte. Nur nicht nervös werden, noch ist nichts gewesen. Wenn der Zigarrenhändler so lang ausbleibt auf Herren, hat er von seiner Anwesenheit vielleicht keine Notiz genommen. Es gingen ihm wohl andere Gedanken im Kopf herum. In dieser Stadt soll ein gewisses Linchen, die Schwester von Frieda, im Kloster eingesperrt sein. Will er die Eingesperrte besuchen? Er sah ihn so geistesabwesend an, fast verstört.

Frechheit steh mir bei! Der Scharrer wird der Mann, der alles auf eine Karte setzt und sich aus dem Bahnhof schlängelt.

Er ist keine Minute zu früh weg. Gustl zeigt sich von Rücksichten bar. Er hat sich auf dem abgeschiedenen Ort mit einem Entschluß beladen. Das wäre nicht Gustl, wenn er, falls es wo brandig riecht, dem Brand nicht auf den Grund geht.

Zuvor war es der Fehler, daß er zu schnell war. Diesmal war er zu langsam. Er kann den Scharrer auf dem Platz vor dem Bahnhof nicht einmal von weitem entdecken. Er macht sich Vorwürfe, daß er die Flugrichtung seines seltenen Vogels verloren hat. Er muß den Polizisten, der den dünnen Verkehr am Bahnhofsplatz regelt, hineinziehn.

»Haben Sie einen Kerl gesehn, der seinen Rucksack in der Hand trägt? Er hat abstehende Ohren und sieht ziemlich mies aus.«

Der Polizist wirft ihm einen scharfen Blick zu und nimmt die Sportgestalt wahr. Doch, der Polizist besinnt sich auf den Mann mit den abstehenden Ohren, er fiel ihm auf.

»Er ist in die Linie siebzehn gestiegen, die soeben vorbeifuhr.«
»Merßi!« Ein Taxi herwinken, der Siebzehn nachrasen, ist eins. Nicht vor der Endstation sieht Gustl den Scharrer aussteigen, auf einer Abzweigung zwischen Gärten und Äckern verschwinden.
Das Taxi findet Gustl unverschämt teuer in dieser Stadt. Er ergibt sich darein, trägt es nicht mit dem Fahrer aus, wo es sich darum handelt, daß ihm der Scharrer nicht auskommt.
Gustl nimmt Deckung hinter Büschen und schleicht seinem Verdächtigen Nummer eins, der schon weit voraus ist, mit Umsicht nach. Gustl hat eine Sonnenbrille aufgesetzt zur Tarnung. Er hat die Windjacke umgedreht, innen hat sie die erdige Farbe, die ihn nahezu unsichtbar macht. Er ist nicht mehr mit sich selber identisch.
Bald wird ihm klar, daß dies zwar eine lange Fußwanderung, aber keine planlose bedeutet. Warum sonst müßte der Scharrer seitlich ins Gebüsch treten, damit er jede entgegenkommende Person vermeidet. Das war jetzt schon das vierte Mal. Das heißt doch, er will nicht, daß man ihn hinterher beschreibt.
Sie sind schon tief im Donautal draußen, wo der Fluß in langgezogenen Windungen an den Eisenbahndamm heranführt. Dies ist eine menschenverlassene Gegend mit Zuckerrübenfeldern, verstreuten Weiden. Es wird immer schwieriger, sich zu decken.
Gustl prallt hart auf den Boden, weil der andere stehenbleibt und einen Rundblick macht. Der Scharrer streicht die Bahnböschung entlang, als müsse er sie vermessen, legt den Rucksack nieder, kriecht den Eisenbahndamm empor und schaut sich die Welt von oben an. Gustl muß sich gründlich in die Rübenblätter einwühlen, er segnet die Furche.
Jenseits der Böschung drängt der Fluß dicht an den Damm mit seinem Geleise heran. Der Scharrer könnte sich vorstellen, daß es den Zug, der hier entgleisen soll, in den Fluß hinunterschleudert.

Der Augenzeuge sieht ihn seine Uhr ziehn, den Rucksack aufklauben und fünfzig Meter aufwärts im Busch verschwinden, wo er nah an die Böschung heranrückt. Er will wohl sein Hauptquartier oder den Ort seines Bleibens daraus machen. Gustl wartet es ab. Aus dem Busch kommt der Scharrer nicht wieder heraus.
Seine Beobachtungen wollen Gustl überhaupt nicht gefallen.
Auf dem Damm zeichnet sich eine neue Gestalt ab, der Wärter, der seine Strecke abschreitet. Nach beendetem Kontrollgang kehrt er zurück, er hat das Seine getan.
Ein Personenzug fährt durch, danach ein Schnellzug. Der Scharrer hat sich nicht weggerührt aus seinem Busch.
Unendlich langsam schleicht sich Gustl, der gewesene Pfadfinder, an. Kein Zweig darf schnellen, wenn er den Busch teilt, auf keinen dürren Ast darf der Anschleicher treten. Der Scharrer hat seine ganze Aufmerksamkeit nach vorn gerichtet, das macht es dem Gillich leichter. Schon hat der Scharrer den Rucksack ausgepackt, die Einzelteile sind griffbereit. Er ist auf dem Sprung, sie zu benützen. Schon, wie sie daliegen, reden sie eine unverkennbare Sprache.
Der Scharrer will eine Bombe legen und den Sonderzug aus dem Geleise sprengen. Dies soll ein Attentat auf die Eisenbahn werden. So ein Hund! So ein Heimtücker, ein feiger!

Gustl nimmt den Verbrecher in schweigende Umarmung, er zieht ihn nach hinten. Gustl hat keine Waffen, aber ein Paar Schenkel wie Schrauben, ein paar Arme wie beidseitige Hämmer, ein paar Fäuste wie zupackende Zangen. Er ist von oben bis unten mit Muskeln bepackt, die Kraft abschnellen lassen wie Katapulte. Das alles hat der andere nicht. Wissende Feigheit fährt ihm durch sein Gesicht, wenn er die Kraft spürt.
»Willst du eine Nuß, du grindiger Hund? Da hast du deine Nuß. Was wolltest du machen, Mächling gemeiner?«
Gustl hat Phantasie genug, um aus dem lautlosen Schmetterhieb eine förmliche Szene zu machen.

Der Scharrer hält sich für überführt, wenn er die Bombe anstarrt, die man gebrauchsfertig bei der Polizei vorweisen kann. Bomben trägt man nicht spazieren. Er wird durch Hiebe gelähmt, fürchtet die kommenden Hiebe, gibt alles zu schon mit dem Blick.

»Das sind mir saubere Heldentaten. Aus dem Hinterhalt einen Zug entgleisen lassen, in voller Fahrt und wenn in ihm fünfhundert Unschuldige verstaut sind. Und das bezieht Wohlfahrt.«

Gustl hat sich zu lang beherrscht. Es fegt ihm durch sein Gehirn. Etwas rutscht in ihm wie ein Berg, die Gesundheit. Er wird von einem fressenden Zorn auf den Schädling erfaßt. Er rollt den Scharrer kopfüber ins vorjährige Laub. Zerrt ihm die Stiefel von den Füßen, daß ihm die Haut mitgeht, knotet beide Schnürbänder zusammen und hängt sie ihm zwischen den Zähnen ein, die nach seinen Fingern schnappen. Soll er nur schnappen! Gustl ist schneller, zieht ihm die Schnur im Mund hin und her.

»Da beiß zu, hier kannst du fest beißen.«

Der läuft ihm nicht davon, in Socken kommt der nicht weit.

»So, und jetzt marsch in den Fluß! Haltaus, dahin, wo ich will! Nur hinein ins nasse Element samt den Kleidern!«

Er stößt ihn den Damm hinauf, zum Wasser hinunter, hinein in den tiefen Fluß, wo er schwimmen muß um sein bißchen Leben. Gustl schwimmt selber hinterdrein und hält ihn wachsam vom Ufer fern. Gustl wird von sich ganz berauscht. Er könnte brüllen vor Selbstbehauptung. Ein Weib hat ihn umkrempeln können, der wahre Adam bricht wieder durch und findet sich zurecht.

»Was wolltest du? Einen Zug ins Wasser schmeißen? Sieh selbst, wie es tut, wenn man absauft.«

Der Scharrer ist kein geübter Schwimmer. Zwar langt es für den Gebrauch, für den Kampf langt es nicht. Er schluckt Wasser und schnappt, immer mehr schluckt er Wasser. Er weiß nicht, was furchtbarer ist, vor sich die

Wasserwüste, die keine Balken hat, und hinter sich der Barbar, der so drastisch ins Wasser tatzen kann und der Tschupp! schreit. Sein böser Feind will ihn absaufen lassen wie eine Katze.
»Denk an den Zug! Denk an den Zug!«
Noch ein Tschupp! und noch! Der Scharrer hat im linken Bein einen Krampf bekommen, seine Arme sind Blöcke und schmerzen. Er bringt sie kaum noch voran, er läßt die Stiefel fahren. Da verließen sie ihn. Es zieht ihn hinunter. Er bekommt keine Luft, schlägt um sich in der blinden Angst, kommt wieder hoch, es geht nur desto tiefer hinab. So kann ein Mord daraus werden.
Der Barbar strebt keinen Mord an, bloß die unvergeßliche Bestrafung, im Wasser kennt er sich aus. Der gelernte Taucher folgt dem Mann in die Tiefe hinunter, gibt ihm einen rohen Tritt in den Magen, weil er sich anklammern will, läßt ihn ein letztes Mal saufen, entscheidet, daß er genug hat und daß er es nie wieder tut. Er packt ihn mit dem kundigen Griff, stößt sich mit ihm nach oben. Es bleibt ihm nichts übrig, als ihn zu retten. Er bringt seine Beute ans Land.
Die Beute legt er auf die Ufersteine nieder als triefendes Bündel, den Kopf nach unten. Der Scharrer erbricht sich sofort. Man hat ihn einen halben Fluß saufen lassen, wenn man ihn halbieren könnte, den Fluß, wenn so ein Fluß nicht nachschöbe, ohne sich zu erschöpfen. Der Scharrer kommt sich vor, als ob er die Lunge auf dem Stein zurücklassen müsse in Form von Blasen.
»Die Attentäterei ist dir wohl vergangen.«
Gustl widmet ihm noch eine Nuß. Er ist kein Gemütsmensch gegen angeborene Kriminelle.
Das war der persönliche Teil der Rache.
Ihm bleibt nur noch, den halben Leichnam nach dem Streckenwärterhäuschen zu schleifen, wo Gustl die Bahnpolizei alarmiert, seine Aussage macht, sich kreuz und quer ausfragen läßt und zum guten Schluß unterschreibt. Er führt sie

nach dem Busch, wo die Bahnpolizei den Sprengsatz sicherstellt.
Seine Rückfahrkarte nützt dem Scharrer nichts mehr.
Er hat Gustl mit dem Blick fast gefressen.
Gustl können sie heut nicht mehr reizen.
Er geht vollends zum Wasser hinunter und läßt sich vom Wasser vorspiegeln, was in ihm schwebt. Gustl ist ja ein Krebs, er hat die Affinität zum Wasser schon immer. Schon als vierjähriges Kind, wo er in der Donau fast versoff und wo ihn hinter der Eisenbahnbrücke ein Pionier gerade noch herauszog.
Müßte nicht Gustl, damit aller Tage Abend wird, wenn er so wartet, seinen Paddler erleben? Es ist leibhaft der Zeck, der in blauen Trainingshosen seinen Urlaub auf der Donau abmacht, welche grün ist, nicht blau.
Der Urlauber könnte daherkommen, nicht wahr, er könnte stromaufwärts paddeln.
»He, Zeck! Kann man sich dir nicht anschließen?« würde er rufen und froh sein.
»Anschließen schon, wenn du dich dünn machst.«
Gustl grinst überlegen. Er will ja gar nicht wie der Faulenzer hinten im Rücksitz hocken. Er hat eine bessere Verwendung für seinen heiligen Leib. Wie hingezaubert steht er in der schwarzen Schwimmhose nach Maß mit dem weißen Streifen da.
»Es ist bloß, daß ich mich am Ruder einhängen kann, wenn ich den Krampf bekomme. Daß ich ein Begleitboot für meine Kleider habe.«
Für Sport kann man den Zeck jederzeit haben.
Muß da nicht Gustl ins Wasser springen, wenn man es ihm geradezu ums Maul schmiert?
Gustl ist wieder völlig für die rauhe Sache des Mannes gewonnen. Er zähmt seine Begierden im widerspenstigen Fluß. Er schindet sich den letzten trüben Rest vom Leib, das wird seine gesündeste Kur.
Auf kurze Strecken und im rasenden Spurt der Jugend

ist er nicht mehr soviel wert. Aber kann er nicht immer noch auf lange Strecken und auf Ausdauer trainieren?
»Hast du Muscheln?« neckt ihn der Zeck in einer Atempause.
Ob er Muskeln hat! Gustl greift sich mit Wonne ab und schöpft neuen Mut.
Das alles zeigt ihm das gleitende Wasser.
Nur kommt eben kein Zeck. Gustl muß sich schon zu Fuß bis zur Trambahn bequemen, wenn er noch in die Stadt will, zum Zug.
Sonst hat er nicht einmal was vor. Er hat keinen Magen.
Gustl hat schon nicht mehr damit gerechnet, daß er dem weiblichen Ableger von Frieda, dem gewissen Linchen begegnet. Er hat sie schon abgeschrieben.
Nur wird ihm das nichts nützen.
Weil es der Mittwoch ist, kommt sie von ihrer zusätzlichen Zeichenstunde daher. Das hat ihr die Malerin erwirkt, den Unterricht in der freien Natur. Linchen ist gut im Zeichnen. Einmal in der Woche tritt sie ohne Begleitung auf und schwirrt in der Freiheit herum, es ist ein Vorschuß auf Erlösung.
Ihr Weg führt nun einmal am Bahnhof vorbei. Das Kloster ist eben nicht anders gelegen.
Der Feldstuhl hängt ihr am Arm als einzige Bewaffnung. Da erblickt sie den Mann, der ihr natürlicher Feind ist.
Der Mann hat ihr die Schwester genommen. Ihre Schwester ist zu gut für den Mann. Der Mann soll sie nicht haben. Und das muß Linchen fertigbringen, wenn es sonst niemand tut. Linchen fühlt sich berufen.
Außerdem hat der Mann ihr gedroht. So sind die Männer.
Sie hätte ihn lieber gemieden, es durfte nicht sein. Sie hat ihn getroffen, also wurde er ihr geschickt. Es kann nicht Zufall sein. Vielleicht hat sie ihn hergefürchtet.
Gustl hat seine gute Tat getan und kann nicht hingehn und die Minderjährigen schänden.

»Mein Name ist Linchen Geier,« spricht sie ihn mutig an.
Sie muß sich ihm stellen.
Gustl blickt auf sie herunter, als habe sie in ein Wespennest gestochen, da schwirrt es von Wespen.
»Ich weiß,« stammelt Gustl.
Von Linchen geht etwas aus, der Duft des noch nicht Berührten. Sie ist damit förmlich gepanzert. Gustl dreht sich der Magen um über die Roheit. Nicht von ungefähr kommt ihr Verdacht. Er könnte sich ihr zuliebe den Kiefer verstauchen. Er müßte sie um Verzeihung bitten in treffsicheren Worten. Doch er trifft es nicht, es will sich nicht lösen.
Er nimmt ihr den Feldstuhl weg und starrt ihr entgegen. Lautlos bewegt er die Lippen.
Nichts könnte sie ärger auf die Folter spannen als seine Lautlosigkeit. Sein Blick wird drohend, weil sie ihn einkreist.
Ob er Muskeln hat! Er hat nur nicht den Verstand.
»Folgen Sie mir unauffällig,« spricht Gustl streng. »Hier kann man nicht reden.«
Keine Seele ist so verstockt, daß es nicht etwas gibt, wobei sie aufhorcht, hat man sie belehrt. Sie weiß nur nicht, wie sie ihn weichmacht. Dies ist ihr erster Umgang mit einem natürlichen Feind. (Erwarten Sie meine Befehle.)
Linchen gibt sich sogleich auf oder gibt sich hin. Sie spürt es vom Scheitel bis zur Sohle, wie sie der Feind verschleppt. Verbrechen werden so eingeleitet. Diese Allee sieht sie vielleicht zum letzten Mal. Muß es denn wirklich sein? Mein Gott, ich habe ja noch gar nichts erlebt, schreit es in Linchen. So erlebe ich dies. Linchen schlägt die Augen nieder und folgt. Linchen ist nicht kleinlich.
Wenn es nur hilft, wenn es der Schwester was hilft! Sei vorsichtig, Frieda! Herr, hilf mir, daß ich ihr helfe!
Agathe rieb sich Pfeffer ins Gesicht. Dem keuschen Aloysius schwanden die Sinne, wenn in seiner Gegenwart einer log. Agnes lag auf dem glühenden Rost und schrie nicht.
Man kann sich ja aussprechen, denkt Gustl.

Es geht immer weiter, Gustl geht schon zu lang. Auf Umwegen findet er sich vor einer endlosen Mauer am Unteren Wörth. Keine Seele ist weit und breit. Nur der Wind schlägt über die Mauer. Er hat Linchen mit keinem Finger gezogen. Sie blieb ihm von selber, Linchen hat große Augen. Linchen ist nicht dazu erzogen, daß sie sich wehrt. Linchen ist weltfremd. Sei vorsichtig, Frieda!
Linchen sagt es sofort, bevor er auf die schlimmsten Gedanken kommt. Gleich wird was reißen. Sie erträgt das alles nicht mehr.
»Sie können mich umbringen,« sagt sie. »Zuvor müssen Sie mir schwören. Daß Sie ablassen von meiner Schwester, das schwören Sie mir.«
»Ich schwöre,« sagt Gustl heiser.
Nie hat Gustl schärfer die Lage gespürt, in die er sich gebracht hat. Er will doch Linchen nichts tun.
»Fräulein Linchen,« stammelt er. »Ich könnte mich nehmen und mit meinem Schädel ein Loch in diese Mauer schlagen, verstanden.«
Aber Linchen läßt sich nicht aufhalten. Sie will ihn abbringen von seinem schlimmen Tun oder es erleiden. Mindestens will sie mit seiner Seele ringen. Ihre Blicke hinterlassen an ihm förmlich eine Spur. (Erwarten Sie meine Befehle.)
Es ist ganz anders. Gustl blinzelt. Er hat das ja nicht gewußt. Sie hat was Unbedingtes, wie sie so dasteht. Sie bringt sich zum Opfer dar. Sei vorsichtig, Frieda!
Da soll doch gleich. Gustl will das ja gar nicht. Gustl muß einen dicken Strich daruntermachen.
Er hatte es gar nicht vor. Dann war es stärker.
Daran ist noch keine gestorben.

Der Maurer Paintner aus Gerlfing läuft jeden Morgen seine acht Kilometer nach seinem Arbeitsplatz in der Stadt. Seit zwei Jahren trainiert er an denselben unerbittlichen Meilensteinen vorbei, bei Rückenwind und Gegenwind, bei jedem abscheulichen Wetter. Er setzt ein vermessenes Vertrauen in

seine Beine und an den Umschwung in seinem Leben, der ihn einmal hoch hinauftragen wird.
Die gleichbleibende Strecke hängt ihm zum Hals heraus, sie steht ihm bis hier, aber er kämpft gegen sie an. Er bekämpft die Langeweile der Wiederholung. Die Leute auf den Feldern blicken ihm verständnislos nach, wenn er mit der rollenden Hüfte die langgezogene Steigung beim Geiselberg nimmt.
»Da ist der spinnete Maurer wieder,« sagen sie höchstens. »Der meint auch, es ist zu was gut, wenn er sich den ganzen Verstand aus dem Leib rennt.«
»Was wissen denn die von meinem Stil?« kann der unterbewertete Maurer darauf nur sagen.
Der Maurer aus Gerlfing läuft nach berühmtem Muster. Er hütet wie seinen Augapfel ein unscheinbares Heft, in dem die Lebensbeschreibung eines finnischen Läufers enthalten ist mit Namen Paavo Nurmi. Viele Abbildungen darin sind eine Fundgrube für einen Entdecker, der sich seinen Stil aneignen will.
In der Stadt hat man voreilige Hoffnungen auf den Maurer gesetzt, als das Gerücht umlief über seinen täglichen Lauf und über sein Heft. Man hat wunder was von ihm hergemacht, dann wurde es still um ihn wie abgeschnitten. Die Eingeweihten glauben nicht mehr an ihn, schon zu lang steht nichts mehr in der Zeitung. Veranlagung und Training sind da, aber kein Wettkampf. Hier wird ein Pfund vergraben.
Der Maurer war schlecht beraten, als er sich von einem Verein keilen ließ, der kein Geld hat.
Man hat ihm den Himmel voll Geigen gehängt und versprochen, die Leichtathletik-Konkurrenzen im Land mit seinen hochtrainierten Beinen zu beschicken, aber nichts hat er schriftlich. Nun wird nichts daraus. Der Verein, der bei der letzten internen Veranstaltung schlecht abschnitt, ist so gut wie eingeschlafen.
Am Maurer geht es hinaus. Es ist seine schwerfällige Treue, wenn er nicht austritt aus dem Verein. Nie wird es genügen,

daß der Anwärter eine vielversprechende Zeit läuft. Er muß auch Initiative und eine glückliche Hand zeigen, um das, was er ungerufen kann, an den Mann zu bringen. Er muß da schon nein sagen können und wenn es die eigenen Spezln sind. Er muß da schon an einen richtigen Trainer heran. Er muß da schon ein bißchen ein Luder sein, wenn es ihn anders nicht voranbringt.
Der Maurer war einmal gut, geht die verbohrte Sage. Aber jetzt ist nichts mehr mit ihm los. Er braucht zu lang, bis man ihn aufstellt. Er ist halt auch schon durch sein Handwerk schwer geworden.
Noch ist es nicht wahr. Aber wird es nicht über eine Weile so weit sein? Jetzt wäre die Zeit, die ihm gehört und ihm zusteht, seine leib-eigene Zeit. Er muß sie, ohne daß man sie ausnützt, verstreichen lassen. Gibt es überhaupt keinen Mäzen in dem Kaff? Wieviel glänzendes Material ist in der Provinz, weil man es nicht rechtzeitig förderte, schon stecken geblieben!
Er ist mit Glanz blamiert. Der Maurer steckt seinen Kopf bös zwischen die Schultern, wenn er darüber nachdenkt.
Er biegt in die Abkürzung ein. Hier ist er im Bannkreis der Stadt, in der sein Aufstieg und Niedergang beschlossen liegt. Über den Gürtel der Bäume, welche den Stadtgraben maskieren, ragen hohe Zacken und Spitzen weg, die gekappten Türme Zur Schönen Unserer Lieben Frau, der Bläserturm, Heiliggeist mit dem unverkennbaren Bleistift, der Herzogkasten, der innen hohl ausgebrannt ist und von der Bäkkerinnung benützt wird, das Alte und das Neue Schloß. Gleich wird er die Laibmühle hinter sich lassen und nimmt dann im Endspurt die langgestreckte Hecke vom Gärtner Spächt.
Ein Johlen hinter ihm stoppt ihn. Vom Judenfriedhof her schallen Hetzrufe an sein Ohr, die seine Fersen in Wartestellung bannen.
Vier kaum ausgewachsene Mannsbilder haben eine Frauensperson gegen die Ziegelmauer getrieben. Jetzt riegeln sie

auf zehn Schritt den Umkreis ab und rücken drohend auf sie ein. Sie haben Knüppel und Steine in der Hand, die auf nichts Gutes schließen lassen.
»Das wird häßlich,« sagt der Maurer.
Die Frau hat keine Waffe zu ihrer Verteidigung. Der Maurer kennt sich selbst nicht mehr und reißt dem Nächsten den Knüppel aus der Faust. Er schlägt auf die Angreifer ein, und das ist wahr, der Maurer hat eine schwere Hand. Was würde Nurmi sagen, wenn er den unerkannten Schüler im Augenblick seines Muts entdeckte?
Diese kläglichen Starken, die schon klein werden, wenn die wahren Hiebe fallen. Sie schaun wie die Schwalben, der Maurer nimmt ihnen sämtliche Knüppel und Steine ab. Dann werden sie erst richtig gewahr, daß soviel Kraft ein einzelner Mann hat, aber sie sind dagegen vier. Der Kerl, wenn er auch baumlang ist, kann sie zu viert doch nicht vertreiben! Geschwind rotten sie sich wieder zusammen, sie sind tapfer mit dem Maul:
»Misch dich nicht in etwas ein, was dich nichts angeht, du Rupp.«
»Wenn vier Rowdys über ein Weib herfallen, geht mich das im selben Augenblick was an, wo ich was davon merke, verstanden! Und jetzt schämt euch, alle miteinander!«
»Einen Dreck!«
»Nimm dein abgefressenes Mundwerk in acht, damit du dir nicht eine Behandlung zuziehst, wie sie dir nicht lieb sein dürfte. Ich bin der Maurer Paintner aus Gerlfing, wenn du von dem schon was gehört hast, und die Frau hier steht unter meinem Schutz.«
»Das hättest du schon auf sie draufschreiben müssen. Das kann man nicht wissen.«
»Wer ihr was antut, dem hetze ich die ganze Gilde auf den Hals.«
Ist das nicht ein wenig happig? Der Maurer fühlt sich selber überrumpelt von der weittragenden Behauptung, zu der er sich da verstiegen hat. Er blickt einem nach dem andern be-

drohlich ins Auge, damit keiner merkt, daß ihm mulmig wird bei der anmaßenden Behauptung. Aber es hat gewirkt. Mit der Gilde der Maurer will sich niemand schlecht stellen, der auch nur eine leise Ahnung von ihrem Kastengeist hat. Die Maurer halten zusammen wie Eisen.

Das Gelichter versucht es anders herum und biedert sich an.

»Ehrlich, wir haben was abzumachen mit der Frau, weil sie einem Kameraden übel mitgespielt hat.«

»Auf die Kameradschaft mit dir ist er nie besonders stolz gewesen, Raupe,« sagt die Frau schneidend. »Er brauchte bloß eine kleine Schlappe erleiden, schon warst du der Erste, der ihm den Tritt gab. Spiel dich nicht auf.«

»Das soll er auch nicht,« entscheidet der Maurer.

»Weißt du überhaupt, was das für eine ist, mit der du dich einläßt? Vor der nimm dich in acht. Die hat Haar auf den Zähnen.«

»Weil mich das schon was angeht! Ich halte mich an das, was ich sehe: vier Mann hoch fallt ihr über eine alleinstehende Frau her. Da wüßte ich mir schon ein anderes Ehrgefühl im Leib.«

»Außerdem hat sie behauptet, wir haben auf dem Judenfriedhof Steine umgeschmissen.«

»Sind da Steine umgeschmissen?«

Der Maurer hat nicht lang durch das schwarze Gitter geschaut, als das Geschrei ihn herbeizog. Aber Frieda hat durchgeschaut. Die jungen Leute haben sich noch in der Nähe der Mauer herumgetrieben. Was haben die zu viert am Judenfriedhof verloren, so weit von der Stadt und so abgelegen, als ob es ein Ort für Aussätzige wäre?

»Der Judenfriedhof bleibt zugesperrt auch am Tag.«

»Solche kommen über die Mauer.«

Der Maurer, der den Verstand in den Beinen hat, kann sich für Grabschänder trotzdem nicht erwärmen.

»Ihr, macht Platz da und kommen Sie, Fräulein!«

Der Maurer hat einen so schweren Schlag, daß sie immerhin

den Durchgang freigeben. Dann kommt ihnen der Ärger über die Ohnmacht hoch, den Ärger bringen sie noch schnell an den Mann.
»Du trau dir, heut um fünf auf dem Plan! Laß dich bloß nicht bei unserem Schwimmen blicken!«
»Ich habe in eurem Pamperlverein nichts verloren,« prahlt der Maurer. »Aber wenn ihr mir sagt, daß ich unerwünscht bin, gehe ich erst recht zur Veranstaltung hin, darauf können sich die Meisten verlassen,« prophezeit er geschraubt. »Ich zahle meinen Eintritt und lasse mich da nicht vertreiben.«
Er ist hoch droben und schreitet gewaltig aus. Dies hier, wenn auch ein Weib die Veranlassung war, scheint sich zu einer Affäre zwischen Mannsbildern auszuwachsen.
»Deine Errungenschaft kannst du dir an den Hut stecken,« schallt ein letzter Gruß aus der Ferne.
Wenn sie meinen, daß sich da was anbandelt, haben sie ihn in einem falschen Verdacht. Solang die Frau in Gefahr war, hat der Maurer sie wie einen kranken Zahn behandelt. Er wird zurückhaltend, kaum fühlt er sich wieder entbehrlich.
»Sie sind am Morgen gewiß öfter da heraußen?« gibt er von sich, nur um auch was zu sagen.
»Sonst nicht,« sagt Frieda schweigsam. Sie bindet es ihm nicht auf die Nase, daß Linchen hier eine Klassenkameradin unter der Erde hat.
»Man hat es nicht leicht,« sagt der Maurer.
Nein, Frieda hat es nicht leicht. Nun muß sie zum Beispiel eine Anzeige wegen Grabschändung erstatten.
Diesmal hat der Maurer sie unter den Fittich genommen. Wie lang wird sie die freiwilligen Ritter finden, wenn die Zeit kommt, wo es ihnen schadet?
»Ich will nicht wissen, was hier gespielt wird,« schneidet der Maurer alle Bedenken ab. »Und jetzt gehen Sie am besten voraus. Ich decke Ihnen den Rücken für den Fall, daß was nachkommt. Nichts zu danken, Fräulein.«
Frieda muß wahrhaftig ein Marschtempo vorlegen, um dem seltsamen Heiligen nicht auf die Nerven zu fallen.

Ich hätte ihm nichts abgeschaut von seiner Glorie. Frieda denkt es beinahe laut.
Die Wendung, welche ihre Unterhaltung nahm, ist ein Beitrag mehr zur Zurückhaltung, die man ihr neuerdings zeigt. Seitdem sie den beliebten Krauler verlassen hat, ist die Geier in Verruf gekommen. Man will sich an ihr die Mäuler zerreißen. Man hält sie für vogelfrei.
Schon manche Kundschaft ist ihr abgesprungen, seitdem sich die schleichende Nachrede an sie heranwagt. Der Tag ist lang und das Vertrauen ist weg. Nur zu gern sind die Menschen bereit, einem, den sie als Außenseiter entlarven, den Brotkorb höher zu hängen. Da heißt es mit dem Mund gegen das Tischeck schlagen, ja Frieda!
Wenn das so weitergeht, muß sie in einen anderen Bezirk abwandern. Sie kennt jetzt die Stunden, in denen einem das Messer auf die Brust gesetzt wird. Ihr Weg geht nicht mit denen zusammen, die in überkommenen Trott verfallen. Sie kann nicht mit den Wölfen heulen. Macht das ohne mich, denkt sie ein für allemal.
Die unbewußte Bereiterin einer Entwicklung im Arbeitskleid – durch ihr Schicksal spannt sich ein scharfes, abschnürendes Seil. Das eingefressene Vorurteil vergangener Zeiten will ewig leben. Die Einzelnen müssen aufstehn, welche die Verfemung am eigenen Leib erfahren und mit ihrer schmalen Person den fortschreitenden Weg durch das Dickicht von vorgefaßten Meinungen suchen.
Was wird werden? Zwei Sonntage lang hat Linchen schon nicht mehr den gewohnten Brief geschrieben. Im letzten Brief wollte sie noch wissen, wo eine Schulfreundin aus der Töchterschule begraben lag. So war nun Linchen, die sich die Dinge vorstellen wollte. Frieda hatte den Gang nach dem Judenfriedhof verschoben, heut hatte sie ihn getan und umgestürzte Grabsteine gefunden.
Warum schrieb Linchen nicht mehr?
Sei vorsichtig, Frieda!
Frieda erinnert sich noch gut, wie Linchen ihr von der Toch-

ter Rachels erzählte. Die Tochter hatte sie mit in die Wohnung hinaufgenommen, hochvergnügt hatte sie geschwatzt. Sie war ein lebhaftes Mädchen, in den Hüften ein wenig dick und kleingeraten, aber geschmeidig. Als erstes sah man ihr in die braunen, blitzenden Augen. Es war so ansteckend, wie sie sich über die Lehne weg in das lange Sofa hineinwarf, wie sie strampelte aus purer Lebensfreude mit den etwas zu kurzen Beinen. »Zum Schießen!« rief sie, »also das finde ich zum Schießen!« Beide hatten sie nicht aufhören können vor Lachen. Linchen hatte hinterher nicht einmal gewußt, wo der Witz war, er steckte um drei Ecken herum, es war kompliziert.

Ja, und dann hatte eine höhere Tochter Linchen beiseitegenommen. »Mit der würde ich doch nicht gehn,« hatte sie einen Rat aufgedrängt, »sie haben Jesus getötet.« – »Sie war gar nicht dabei,« hatte ein verblüfftes Linchen gesagt, »es ist zweitausend Jahre her, das ist nicht gerecht.« – »Trotzdem!« hatte die andere beharrt.

Und jetzt war Rachels Tochter, die lebhafte Person, einen frühen und natürlichen Tod gestorben. Die Eltern wollten es schier nicht glauben.

Sie waren vorsichtige Leute, die Eltern. Sie sammelten Konserven für einen kommenden Krieg, aus dem sie sich um jeden Preis heraushalten wollten. Da wollten sie nicht dabei sein, vorausgesetzt, daß es ihnen gelang.

Frieda hatte das Grab nicht gefunden, die Steine lagen auf dem Gesicht. Selbst wenn das versperrte Gitter sie nicht gehindert hätte, würde sie das Grab nicht finden. Es war ein sehr einfacher Friedhof, als gäbe es hier keine Reichen oder sie wollten nicht reich sein im Tod. Die Steine waren grau und rauh oder vom Efeu überklettert. Um die wenigen Gräber herum wuchs das hohe Gras, hier war die Natur. Mehr konnte sie Linchen wirklich nicht schreiben.

Drinnen in der Stadt erwacht der Kleine-Leute-Tag. An der Weißbierbrauerei rumpeln die ersten schweren Bierwagen über das Katzenkopfpflaster. Bauern treiben ihr Viehzeug zur Schranne. Vor der Metzgerei Sölch bleibt der Lieferwagen stehn, und der Zeck zerrt die zeternden Schweine an den Hinterbeinen aus dem Wagen. Er spart nicht mit dem Ochsenfiesel, wenn die ahnungsvollen Tiere sich mit den zierlichen Hufen gegen ihren einzigen Halt, den Bretterboden, stemmen. Die ersten Bauersfrauen hocken auf der Marktzeile, bei ihrem Geflügel, ihren Eiern, Pilzen und Gelberüben nieder, sie haben ihren Standplatz bezahlt. Sie sind auf den passiven Widerstand von Stadtfrauen gefaßt und fest entschlossen, lieber mit dem halbgeleerten Korb nachhaus zu fahren, als vom vorgenommenen Preis zu weichen. Vom Frauenkloster sagt ein hartnäckiges Glöcklein das Chorgebet der Nonnen an. Aus vielen Schornsteinen steigt schon der Rauch auf, nicht alle haben Stadtgas. Die Klingel zum Bäkkerladen schrillt unaufhörlich. Dann pinkt beim Schmied der Hammer auf den Amboß, beim Schreiner scharrt der Hobel und singt die Säge. Der Malergehilfe wandert auf seiner Staffelei wie auf Stelzen fremde Zimmerwände entlang. Der Tabakwarenhändler raucht seine erste Tageszigarette den Frühkunden zur Gesellschaft und bei den Donaubaracken fährt unter behäbigem Läuten der Schulzug ein, der alle Bahnhofskinder hier absetzt; sie haben dann auch keinen längeren Schulweg als die Kinder der inneren Stadt. Jetzt gehen die meisten Hausfrauen mit dem Korb am Arm auf die Einkaufsattacke. Inzwischen machen die Maurer schon fast wieder Brotzeit, und die Bäcker holen den letzten Brotlaib heraus und schieben den ersten Kuchen in die gleichmäßig gewordene Ofenhitze.

Vor dem Fleischerladen stehen die Frauen an, die zuerst da waren und sich die besten Bissen vom Ochsen zuteilen lassen. Je wilder der Betrieb, desto ausfallender tummelt sich die Laune des Fleischers. Er nennt sie alle mit Namen und spielt sich vor den Weibern auf, die ihm schöntun, um die besten Brocken zu ergattern. Das Vieh ist unterschiedlich gewachsen.

Das junge Ding, das an der Reihe ist, verlangt ein Pfund Bratiges. Das Fleisch bekommt sie vom Besten, jedoch soll

ihr danach nicht wohl sein, der Fleischer will sie zur Zielscheibe machen.
»Ein Pfund Bratiges,« zählt er gleichmütig auf. »Und einen Ring um den Hals, wenn man ihn das ganze Jahr nicht gewaschen hat,« fügt er unnötig an.
Sie ist wie auf der Flucht.
»Das ist auch eine von denen, die den Zeigefinger ins Wasser tauchen und mit Katzenpfoten über Augen, Mund und Nase fahren, daß ihnen die Bettwärme nicht weggeht.«
Manche junge Frau, die seinen Mutterwitz fürchtet, verzichtet darauf, im großen Schwarm zu erscheinen und schaut lieber später vorbei, wenn die Ware ausgesucht ist und der Fleischer wortkarg bleibt, weil ihm das große Publikum mangelt.
Auch Frieda Geier muß daran glauben, als sie Rosenspitz für die Pfanne holt. Es könnte ärger sein, er macht es noch halbwegs.
»Na, Geierin, sind wir heut nachmittag mit dabei auf dem Plan, um dem verflossenen Bräutigam die Ehre zu erweisen?«
Gustl will ein Langstreckenschwimmen hinlegen. Unter anderem.
»Ich kann mich beherrschen,« sagt Frieda.
»Seit die Weibsbilder ihn aus den Klauen ließen, soll er sich wieder ganz nett herausgemacht haben.«
»Das ist nicht weniger, als man von einem Sportler seiner Veranlagung erwarten darf,« spricht Frieda durchaus menschlich. »Eine andere Sache ist, ob Sie sich genieren, wenn Sie einem was anhängen mit dem Maul.«
»Da geniere ich mich nicht,« stellt der ruppige Fleischer fest und ist fast noch stolz darauf, daß der große Haufen nicht gut ist. Der Fleischer ist mitten im Haufen. Er kann sich durchaus was leisten.
»Es wäre mir direkt abgegangen, wenn das nicht gekommen wäre.«
Frieda bleibt nichts schuldig, wenn sie herausgeben kann. Sie wetzt den Schnabel, damit er ihr nicht zuwächst.

Sein Fleisch ist eben das beste. Darum geht ihm alles hinaus.
Jeder drückt seinen wachen Stunden den ihm vorbehaltenen Stempel auf. Ehe denn es Abend sein wird, sind die Geizigen in ihr abschnürendes Laster verfallen, die Hoffärtigen haben hochfahrendem Wesen gefrönt, die Tagediebe den lieben Tag um Zeit und Inhalt gebracht. Die Verlogenen haben den Mund aufgetan und die Wahrheit verfälscht. »Der Stürmer« hat die Juden verleumdet und der Biedermann hat seine Aufbauschungen gierig gefressen. Die Barmherzigen haben gebarmt und die Ausbeuter ihrem Nächsten die Daumenschrauben angesetzt. Die Täter sind mit beiden Füßen in ihre Tat gesprungen. Die Grübler haben Stimmen vernommen, die außer ihnen kein Sterblicher hört. Die Gehorsamen haben sich treten, die Unzufriedenen sich in Anarchisten umdeuten lassen müssen.
Es ist nicht immer leicht, den einen vom anderen wegzukennen. Denn mancher Sperber geht im Gewand der Taube. Manches Lamm nimmt, um sich vor Feinden zu schützen, eine reißende Miene an. Alle weben an einem Muster, das in der Gegenwart gewebt wird, aber noch nicht gelesen. Erst die Zukunft bringt die echte Bedeutung hinein und vielleicht wieder nur für eine vorübergehende Zeit. Keiner ist so unscheinbar, daß ihn nicht sein Weberschiffchen erreicht.
Der eine macht es mit sich allein ab, der andere muß sich unter vielen auswirken, sonst ist ihm nicht wohl.

Kraulgustl hat sich nach allem ganz auf den künftigen Sportlehrer geworfen. Er tritt nur mehr in Rudeln auf, wird auf Schritt und Tritt von solchen, die von sportlicher Erfahrung profitieren möchten, begleitet. Eine entschlossene Düsternis sitzt auf seiner niederen Stirn, der männliche Ernst. Wer hätte noch vor Wochen gedacht, daß er sich auf so simple Weise sein Rückgrat stärken würde? Es war das Ei des Columbus.
Er hat sich abgeschüttelt wie ein Hund. Er hat mehr verges-

sen, als ihm zukommt. Er will ja auch vergessen. In der Luft schwirrt eine laxe Moral. Es soll nicht länger wahr sein, was man seinem Nächsten nicht zufügen darf. Vieles wird sich ändern. Alles bebt. Alles wird in Frage gestellt.
Gustl hat was zugelernt in seiner schlimmsten Zeit: das angeborene Nein, das dem Körper gesetzt ist, zu verachten. Nein, das heißt Faulheit. Eine saugende Leere ist bei ihm entstanden oder der Teufel im Leib. Er kann gar nicht genug Training hinlegen, um die Wunde in seinem Selbstbewußtsein zu heilen. Er schindet sich ab wie nie zuvor, schiebt die Leistungsschwelle nach vorn. Er macht Resultate, auf die er nicht mehr zu hoffen wagte.
Dann war es wenigstens zu etwas gut.
Sonst hat er mit niemand was vor. Da kann er sich ganz auf die lange Strecke konzentrieren, wenn im Geschäft das Nötigste vollbracht ist.
Alles, was Weib heißt, hat er verschworen.
»Der Anfang wäre lieblich, wenn die Stunde nicht käme, wo man auf Sägspäne beißt,« sagt er drastisch. »Mir ist noch vom letzten Mal die Zunge pelzig.«
Es liegt nicht daran, daß er keine Gelegenheit hat. Seit der Affäre mit Frieda haben sich seine Chancen eher vermehrt.
»Wie stehts mit Heiraten, junger Mann?« fragt einer, der ihn nicht ungern in der Verwandtschaft zugelassen hätte.
»Nur wenn eine ganz Schwere kommt, sonst nicht,« wehrt er ab und hat eine runde Mitgift im Sinn. »Ich habe bloß einen Buckel, der ist mir für den Aufpack zu lieb, solang mir keiner was für die Abnützung zahlt.«
Beim nächsten Mal läßt er sich was zahlen. Es muß sich schon lohnen. Insofern will er es nicht einmal verschrein.
Der Bewahrer seiner selbst, einmal hat es ihn aus der abgesicherten Bahn geschleudert. Er hat seinen Anteil entrichtet. Er verlangt sich nicht mehr zurück in die Knochenschere.
Es gibt weniger halsbrecherische Freuden. Deswegen muß einer noch lang kein Lahmarsch werden. Eine nicht zu knappe Zuschauermenge am Plan, die abgegrenzte Box, wo

nur die Teilnehmer am Wettbewerb sich aufhalten dürfen, und ein frischer Kampf, das macht einem sein bißchen Dasein noch wert. Das führt auch Zweiflern vor Augen, warum man nicht der letzte Dreck ist.

An diesem Samstagnachmittag kann er über mangelnde Beteiligung im Volk nicht klagen. Der Steg ist brechend voll, soweit er dem Publikum freigegeben wird. Der Rasenhang ist schwarz von Männlein und Weiblein. Auch wenn nicht Sonntag ist, stehn sie sogar auf dem Dach über den Ankleidekabinen und stehn auf dem Wall.

»Wenn bloß nicht das ganze Dach herunterrasselt,« spricht der Obmann des Vereins.

»Das Dach?« versetzt Gustl gekränkt. »Es geht nichts über dies Dach. Wie seinerzeit der Luber hier sprang, war es auch nicht viel anders, und das Dach hat gehalten.«

Das Dach hat er zusammen mit einem Schreiner höchstselbst gezimmert.

Gustl läßt nichts kommen auf dies Werk seiner Hände aus besseren Zeiten, wo er noch ahnungslos war. Und wenn der Obmann auf schwarzen Ahnungen besteht, schnappt Gustl ein.

»Ich will dir nicht zu nahe treten,« beschwichtigt der Obmann seinen langjährigen Star. »Du wirst einsehn, ich muß an alle Eventualitäten denken.«

»Ich wüßte gleich was, das dir ganz anders auf den Fingernägeln brennen müßte,« pariert ihm Gustl. »Schau lieber, daß du deine Zaungäste erfaßst. Da, schau hinüber!«

Er zeigt auf den Stadtwall jenseits des Wassers. Auf der Mauerkrone stehen mindestens vierhundert Menschen und haben die Absicht, sich an dem, was geboten wird, ohne Eintritt zu erletzen.

»Die sehen von da drüben auch nicht schlechter wie hier.«

»Was soll ich machen?« jammert der Obmann. »Der Wall ist nicht käuflich. Wir haben seinerzeit nehmen müssen, was um ein Spottgeld zu haben war. Wir haben uns die Umgebung nicht aussuchen können. Natürlich ist es ein Fehler in der Anlage von vornherein. Das sind eben die Nachteile von einem Zufallsgelände.«

»Wir können sie von dort nicht vertreiben. Aber wir können an ihre besseren Instinkte appellieren und um eine freiwillige Zuwendung ersuchen. Es steht ja nicht lauter Geschwerl oben. Ich kann mit dem bloßen Auge manchen Bürger erkennen, der sich genieren wird, wenn man ihn daraufhin anspricht.«

»Ich habe da meine Finger nicht drin,« verwahrt sich der Obmann. »Vielleicht braucht man eine Genehmigung von der Stadt, wenn man sammelt auf dem Wall. Machst du es auf deine eigene Kappe, dann ist das was anderes.«

»Sehr wohl. Das ist zu machen. He, Wigg!«

Dieser Gustl in seiner Voraussicht, er nahm sich wahrhaftig einen Klingelbeutel zu leihen. Er entsendet seinen gewandtesten Schüler über das Wasser.

»Sag einen schönen Gruß von mir,« ruft er ihm nach. »Und wo sie sich aufgestellt haben, ist die Loge, falls sie das noch nicht wissen. Es ist kein Zwang, daß sie was geben, aber sie tun es für den Verein, der viele Auslagen hat. Gib acht, daß du den Beutel nicht naß machst, damit er hinterher, wenn das Geld drin ist, nicht reißt.«

»Ja, der wird so stramm, daß er reißt,« spottet der Obmann.

»Wetten, daß er stramm wird.«

Der Obmann wettet grundsätzlich nicht.

Der Wigg hat das größte Vergnügen an der Überraschung. Er paddelt hinüber wie das Osterbetzerl mit dem Stab; das Glöcklein am Beutel klingelt idyllisch bei der Wasserreise. Der dünne Ton kündet den Zaunspatzen schon von weitem an, was ihnen bevorsteht.

»Das sind wohl die frommen Geräte, um einen einzufangen,« witzelt ein Spötter.

Kraulgustl macht aus seinen Händen ein Sprachrohr.

»Das ist das Neueste, daß die ganz Schlauen geschröpft werden,« ruft er vermittelnd hinüber.

Da klettert der Wigg schon an der Leiter hinauf. Der Einfall ist so gelungen, daß er mit Humor aufgenommen wird. Gustl ist wieder populär. Der Wigg glänzt über das ganze Gesicht, als er mit der Ausbeute zurückkommt.
Die lautesten Lacher sind jene, die den Eintritt schon gleich bezahlt haben, und die Genugtuung erleben, daß es den Findigen auch nicht anders ergeht.
»Beim nächsten Mal wird dein Klingelbeutel nicht so voll.«
»Beim nächsten Mal gibt es keine Zaunspatzen mehr. Du wirst es an der regulären Kasse merken.«
Die Leute, die gespendet haben, erwarten dafür, daß es endlich losgeht. Sie pfeifen und scharren. Auf dem Fuße folge der Lohn.
Die Glocke tönt. Über den Ankleidekabinen geht ein Brett hoch mit Riesenbuchstaben: Lernt Schwimmen! Kraulgustl brüllt aus der hohlen Hand seine Worte über den Plan, die denselben Anreiz unter die Masse tragen. Er ist nicht der geborene Sprecher, doch meint er es ehrlich. Auch macht er es kurz und schmerzlos. Bravo!
»Gut Naß!«
»Gut Naß!« schallt es aus reißender Kehle zurück. Das sind keine kleinen Angestellten und Verkäufer mehr, keine Anfänger im Beruf, die so mancher zwiebeln darf. Das sind die entfesselten Barbaren der Kleinstadt, welche die augenblickliche Formel ihres Heils ins Ohr von Unberufenen heulen.
Wir sind die wahren Menschen, aber ihr seid erst Frösche, könnte das heißen.
Die Erkenntnis durchzuckt Gustl mit Macht.
Schön ist, wenn man sich von den Getreuen umgeben weiß und der eigene Gedanke von ihrem Echo vervielfältigt auf einen eindringt.
Gustl weiß sich im Einklang mit seiner gar nicht so geringen Anhängerschaft. Das ist ein Gutes, das er im vergangenen Jahr nicht gehabt hat. Da hat Frieda nach und nach ihm den Kontakt genommen. Da war ein Argwohn, daß er aus dem Haufen herausfallen würde. Jetzt ist er wieder im Haufen.

Im Verein fühlt er sich auf der Kuppel. Aber wenn man oben auf der Kuppel ist, hängt auch die ganze Traube an einem dran. Gustl muß überall zugleich sein, trotzdem er nachher persönlich startet.
Jetzt tritt eine Wolke auf seine Stirn, weil Riebsand verspätet ankommt. Rih zeigt für die interne Veranstaltung nicht mehr den richtigen Ernst. Seit seinen Siegen ist ihm zu wohl geworden.
Gustl nimmt es nicht leicht. Er ist verantwortlich für das Programm. Er hat es in der letzten Vorstandssitzung des Vereins mit keinem geringen Kampf durchsetzen müssen.
Schon wieder sprachen die Mucker:
»Wir haben nicht genug auf Lager, was wir vorführen können. Blast die ganze Sache ab.«
Gustl kann sich wahrlich ereifern, wenn ein Vorstand so wenig Initiative zeigt und auf Lorbeeren ausruht.
»Setzt den Tag und die Stunde fest, und ich stelle euch ein Programm zusammen, das euch staunen macht,« versprach er.
»Für ein Programm muß man die Leute haben.«
»Leute genug!«
Er zählt sie ihnen an den Fingern auf.
»Sind das keine Leute?«
Aber man muß sie stets von neuem zusammentrommeln. Sich selbst überlassen, fallen sie ab. Ebensowenig sind die Anstrengungen, wenn man bei der Stange blieb, in den Wind geworfen. Nicht umsonst ist er den Säumigen auf den Pelz gerückt. Gustl hat den Karren am Laufen erhalten durch sein neues Beispiel. Gemeinsamer Ehrgeiz kittet zusammen.
Ob es Leute sind! Da ist der Bäcker mit dem Weltrekord im Brezendrehn. Im Hundertmeterkraul reicht ihm keiner das Wasser. Er ist nicht mehr Gustls Konkurrent, seit der Meister der kurzen Strecke den Rücken kehrte.
Eher kommt dem Bäcker schon der Fanderl Wigg ins Gehege, Gustls naseweise Entdeckung aus den Tagen des zugefrorenen Flusses. Kraulgustl hat ihm sein System beigebracht,

und der Junge stellt sich mordsmäßig geschickt an. Er ist flink wie ein Wiesel auf seine hundert Meter. Und frech! Keine Spur von Angst vor dem Wasser, sei es von unten oder von oben.
»Schnaufen mußt du überhaupt nicht, nein?« wundert sich selbst der erfahrene Taucher.
»Ich bin ein Kiemenatmer,« behauptet der Frechdachs, der jene Art der Wirbeltiere soeben in Naturkunde durchnimmt.
Der Trainer wird förmlich jung in seinem Geschöpf. Inzwischen ist es glücklich soweit, daß Gustl zugeben muß, jetzt kann ich dir nichts mehr lernen. Ich kann bloß noch darüber wachen, daß du keine Unarten annimmst.
»Der bleibt uns nicht ewig,« prophezeit er bei den anderen. »Der fliegt uns noch fort in die weite Welt. Einstweilen muß man ihn im Respekt erhalten. Man darf ihn nicht zuviel loben, damit nicht die Autorität in die Brüche geht. Der hat das Zeug zu einem Großen. Noch kann er keine voll entwickelten Glieder in die Waagschale werfen. Laßt den erst in die Länge und Breite gehn und Muskeln ansetzen! Paßt auf, der wird!«
Ist es nicht Gustls genialer Trick, daß er sich den Nachfolger im ureigenen Lager heranzieht, um den Bäckergesellen und ehemaligen Rivalen in Schach zu halten? Wenn er es auch nicht offen zugeben darf, in anderthalb Jahren ist der Bäcker verloren.
»Da hast du mir eine nette Laus in den Pelz gesetzt,« sagt er schon jetzt.
Gustl zieht bloß den Mund in die Breite, daß man ihn beim Ohrwaschel einknöpfen kann.
»Das ist gesund.«
Es würde manchem guttun, wenn er wie der Bäcker den unmittelbaren Anreiz hätte, der seine Leistung stachelt. Riebsand zum Beispiel, der die Fahne im Kunstspringen hochhält und bedenklich nachgelassen hat, weil es am lokalen Konkurrenten mangelt.

Neulich hat ihn Gustl mit einem Mädel auf dem Kaiserwall gesehn; er dachte, ihn trifft der Schlag. Schon am nächsten Tag nahm er ihn auf die Seite.
»Ich will mich nicht in dein Privatleben mischen. Aber das gefällt mir nicht, daß du in deinen Jahren schon anfängst. Du hast dich doch bisher gut gehalten.«
»Besser wie du,« gibt ihm Riebsand hinaus.
»Eben darum habe ich das Recht, dir einen wohlgemeinten Rat zu reichen. Weil ich die Auswirkungen kenne. Wer das einmal durchgemacht hat, läßt die Finger davon, das darfst du mir glauben. Um dich wäre es schad.«
»Jeder braucht nicht gleich an einen Vamp zu kommen.«
Seit der Kunstspringer mit der Erkorenen regelmäßig das Kino besucht, drang es zu ihm, was es mit einem Vamp auf sich hat.
Gustl ist erschlagen, wenn man ihm eine solche Erkennungsmarke für seine Verflossene aushändigt. Die jungen Menschen haben die Bildung mit dem Löffel gefressen.
Aber Rih läßt sich nichts sagen. Seit Wochen weiß er Bescheid, daß man ihn für attraktiv hält. Sein Mund hat was Eigenlebendiges angenommen wie eine Feuerblume. Er tut geheimnisvoll, als habe er das Sexualleben erfunden, und ist ein verzückter Neuschöpfer der uralten Freuden.
»In meine eigenen Sachen redest du mir nicht hinein, solange ich starte, verstanden.«
»Das hätte noch gefehlt, daß du nicht einmal startest. Rih, du fängst zu früh damit an. Ich bin sechs Jahre bei der Stange geblieben, bis ich so weit war wie du.«
Was hilft alles Sagen, wenn der Wurm schon drin ist? Gustl muß sich im Punkt Vereinsehre an seine übrigen Hoffnungen halten.
Für hundert und vierhundert Meter Brust hat er einen gewissen Beindl Hepp, einen Wirtssohn vom Land mit einem unverbrauchten, unnötig kriegerischen Gesicht in allen Lebenslagen. Er schwimmt seinen Stiefel prächtig, wird aber, der vollblütige Mensch, ausgerechnet jetzt durch ein Furun-

kel in der Ellenbeuge gehemmt. Das ist sein Kreuz, daß er neun Furunkel im Jahr hat. Er legt sich trotzdem hinein mit dem steifen Arm, um dem Schober Kurt vom Bahnhof das Leben nicht allzu leicht zu machen. Das sind die wahren Sportler.

Das Schönere ist, er hätte das Rennen um ein Haar gewonnen. Der Schober ist denkbar schlechter Laune und macht es mit Verdruß. Ihn haben sie gestern beim Karten unverschämt hochgenommen.

Die Landespolizei, die beliebte im Sport, hat auf Einladung eine Wasserballmannschaft gestellt, von Gustls neuer Spezialität, seinen Nixen mit Damenreigen, ganz zu schweigen.

Da ist Gustl selber, heute unbestrittener Meister der langen Strecke.

Leute genug, wenn man jeden herankriegt! Sie alle leisten der Startglocke Folge, und das sind erst die Rosinen vom Teig. Es gibt noch die Unberechenbaren, die einmal gut, einmal schlecht abschneiden und die auch dem anerkannten Namen unvermutet auf den Zeh treten können. Soll einer das Maul aufreißen, daß es für die gar nicht so große Stadt kein Programm ist!

Er ist bereits am Plan, derjenige welcher. Er hat sich ohne die Bescheidenheit, die eine Zier ist, bis ganz nach vorn geschoben. Unmittelbar am Absperrseil will er seine Witze über das, was in der Provinz geboten wird, reißen. Grundsätzlich macht er Stimmung gegen alles. Nicht einmal mit der phänomenalen Strecke des Fanderl Wigg ist er zufrieden. Er nennt sie eine Schiebung.

»Ich möchte wissen, was hier geschoben sein soll,« regt sich der Gillich auf. »Was ist das überhaupt für ein Lackl, der bloß herkommt, weil er uns durch die Bank schlecht finden will?«

»Ein Maurer aus Gerlfing.«

»Ist das der unbeschäftigte Läufer, der sich von den anderen keilen ließ und bei uns hätte er Aussichten gehabt?«

»Eben der.«
»Dann weiß ich warum. Aus dem handelt der blasse Neid, weil sein Verein sich nicht rührt wie wir. Aber er verwirrt mir meine Leute.«
Kraulgustl ordnet unter der Hand an, daß die, welche mit ihrer Nummer fertig sind, den häßlichen Zeitgenossen unauffällig umzingeln.
Soeben läßt er außer Konkurrenz den Lehrer vom Lande springen.
Der Bedauernswerte, der auf seinem Dorf kein Sprungbrett kennt und noch nie auf dem Viermeterbrett stand, hier will er es kennenlernen. Die Angst vor der Tiefe ist ihm auf seine vier Buchstaben geschrieben. Er fällt auf den Bauch wie ein Sack, aber er läßt keinen Sprung aus. Der Hohn kann ihn nicht erschüttern. Immer wieder klettert er hinauf und nützt vor aller Augen die Gelegenheit zum Lernen aus. Wenn er auch keine gute Figur macht, er zwingt sich eben. Das ist Mut und wird endlich erkannt. Das anfängliche Hohngelächter löst sich in Beifall auf. Es ist noch lang nicht heraus, wes Geistes Kind der Lehrer ist, weil er den Beifall auf seinen Sprung bezieht. Es muß nicht Einbildung sein.
»Nicht wahr, ich bin besser wie am Anfang?« fragt er naiv.
Jedem anderen wäre derselbe Irrtum unterlaufen, wenn so geklatscht wird.
Kann nun der Maurer nicht auch wie die anderen »der Lehrer ist rührend« sagen? Er pfeift und macht sich wichtig, als hätte er als einziger Mann am Plan das Sportverständnis gepachtet. Sein Kopf fährt herum. Die junge Garde, die sich neuerdings hinter ihn drängt, hat ihm wie von ungefähr auf den Fuß getreten.
»Pardon,« sagt die junge Garde sofort und blickt in die Ferne. Es scheint, da war keine Absicht.
Gustl kennt seine Pappenheimer und hat neben dem sportgerechten Programm einiges Beiwerk zugelassen, um es der Masse, die keine Ahnung hat, schmackhaft zu machen. Es geht nicht ohne dummen August.

Dem Lehrer passiert übrigens noch ein Malheur. Seine feuerrote Badehose hat einen ausgeweiteten Zug und die Neigung, ihm bei jedem Sprung gefährlich unter den Nabel zu rutschen. Schließlich kommt sie ihm beim Hochtauchen aus der Tiefe völlig abhanden. Vor versammeltem Volk taucht er entsetzt wieder ins Wasser, als er, kaum an der Leiter hängend, von der donnernden Lachsalve begrüßt wird. Er muß in den Fluten ausharren, bis man ihm eine herrenlose Hose hereinreicht.
»Schweinerei!« schimpft der Maurer, um aus der Mücke einen Elefanten zu machen. Da fühlt er sich wieder auf den Fuß getreten, diesmal von einem anderen, und auch der andere sagt: »Pardon!«
Der Maurer gräbt aus seinen Abgründen einen Blick aus, der genügen müßte, um eine Magenverstimmung bei seinem Gegner zu erzeugen.
»Es ist eng hier,« sagt er nicht ohne Grund und sperrt fortan mit dem gespreizten Ellbogen die Passage. Er drückt um so herzhafter zurück, als er einen Gegendruck spürt. Noch wird die Feindseligkeit mit keinem Wort ausgesprochen.
Großer Staat läßt sich mit den Springern nicht machen. Riebsand, der Star, der sich im Privatleben zuviel vorgenommen hat, erledigt sein Pensum unter aller Kanone. »Du bist gesprungen wie eine kranke Geiß,« wird ihm Gustl erzählen. Die Überraschung malt sich sichtbar in des Kunstspringers Zügen, als man ihm das Ergebnis in Punkten vorführt. Dann zuckt er die Achseln und markiert den Überlegenen über eine vorübergehend schlechte Disposition.
Der Maurer aus Gerlfing sorgt dafür, daß die Blamage nicht unter den Tisch fällt. Der Haß gilt Raupe und Konsorten, die sich, nachdem sie ihn hergeschleift haben, im Hintergrund halten. Nun trifft es eben alle, den ganzen Verein.
»Soll das was sein auch?« legt der Maurer los. »Der springt hoch herunter, mehr nicht. Von Stil keine Spur. So was muß man sich bieten lassen für sein Geld. Verdammte Schmiererei!«

Hier muß er bereits, um noch am Leben zu bleiben, den Nebenmännern den Ellbogen in die Weichteile setzen, daß sie seufzen.
»Nächstens stellen sie die Wickelkinder hinauf! So was will ein Verein sein. Schmierer und Säue!«
Nun, das war zu persönlich. Jetzt aber genug. Der Rest geht unter im Handgemenge.
»Hinaus mit ihm, wenn so einer nur herkommt, um alle zu zerfetzen! Hast du ihn? – Ich hab ihn.« Diesmal haben sie einen Goliath für den Kampf gegen den Maurer entsandt. »So, leg ihm noch eine saftige drauf. Nur nicht in Watte packen!«
Über die Köpfe von Zuschauern weg wird der Maurer von den Unentwegten auf neutralen Boden befördert. Das Vereinsgelände wird ihm gesperrt. Er bekommt sogar, um es ganz vornehm zu machen, an der Kasse seinen Eintritt zurück. Er wird vollends rasend, als man ihm das Geld in die Tasche zwängt. Nun kann er sich nicht mehr darauf berufen.
»Das wird euch noch reun,« schäumt er jenseits der Mauer.
»Wir werden sehn, ob es uns reut.«
Soll dies das Ende sein, daß man ihn vom Plan mit Schande vertreibt? Wird er niemals anerkannt sein am Plan? Hat er sich alles verscherzt? Jetzt bleibt ihm vorenthalten, wie Gustl mit Glanz die lange Strecke macht und welches Schußvermögen die Landespolizei beim Wasserball aufweist.
Der Maurer stürzt davon wie von Sinnen, um es nicht wie ein Lamm auf sich sitzen zu lassen.
Ja, Gustls Kriechstoß, das Ereignis, von dem man noch lange spricht! Er hat seinen Beinschlag in verblüffender Weise verbessert. Er spreizt nicht mehr so weit wie bisher. Nicht umsonst hat er, um seinen Grundfehler auszumerzen, sich beim Training die Oberschenkel mit einer Schnur zusammengelötet. Beine und Zehen bleiben im gebundenen Auf- und Abschlag gestreckt. Pausenlos zieht er den gebeugten Arm streng nach unten durch bis zur Hüfte, während er mit dem

entspannten anderen Arm über das Wasser vorschleicht und ihn lässig streckt, dann erst fällt die Pranke zum Anriß aufs Wasser. Die Körperlage war von je seine starke Seite. Dazu hat er endlich eine souveräne Atemtechnik gefunden. Wenn er den linken Arm aus dem Wasser bringt, reißt er das Gesicht nach links und raubt Luft mit dem sperrangelweiten Maul. Schon ist er bis über die Braue in den Wellen vergraben und atmet die geschöpfte Luft durch die Nase aus. Ein Gegurgel von silbrigen Blasen steigt um seinen Kopf auf wie eine Perücke.

Er ist nicht weniger wie Hermes mit dem geflügelten Fußteller im Wasser.

Das Wasser ist übrigens zu warm. Gustl hat es sich kälter vorgestellt, als er sich die Rekorde für seine Genossen erträumte. Die Genossen waren beim Training besser. Sie werden nicht abgefrischt und schwimmen wie in der Suppe.

Das macht alles die Hitze. Die gebannten Zuschauer schwitzen sich die Pfunde nur so vom Leib. Einer erleidet den Hitzschlag und muß den Sanitäter bemühn.

Nach der Veranstaltung, die im Ganzen ein passabler Erfolg war, beherrscht sie nur eine Gier: die ausgedörrten Kehlen mit den nötigen Quantitäten zu befeuchten. Wahre Heerscharen strömen nach der Emeramschweige im Donaumoos, die ein bekannt gutes Bier hat.

Auch die Sportler sind nach getaner Arbeit nicht von Stein.

Einmal im Jahr ein mannbarer Schwips ist auch für den Sportler, der im Training steht, noch nicht das Ende. Die Ausnahme kann er verkraften.

Alle Spezln haben das Salettl im Garten hinten für sich erkoren. Unter dem drückenden Dach kann die Bumshitze nicht weichen. Die Dürstenden trinken die erste Maß schon im Stehen aus. Dann geht das Gejohle rundum. Sie hacken mit den Krügen rhythmisch auf den Tisch und verlangen nach mehr. Der Saft schießt ihnen in den Kopf, weil sie nichts Gutes gewohnt sind.

Die junge Wirtin, der man die Freude am Stoßgeschäft an-

kennt, kann nicht genug heranschleppen. Da nimmt sie der angeheiratete Wirt auf die Seite.
»Du bedienst heute nicht im Salettl. Das mache ich.«
»Warum auf einmal?«
»Darum. Und ich sage dir, daß es heut noch was gibt.«
Wenn der wetterfühlige Wirt das behauptet, muß es schon stimmen.
Ein Gast hat es aufgeschnappt, und wie ein Lauffeuer geht es von Tisch zu Tisch, daß es heut noch was gibt. Gustl spitzt die Ohren wie ein alter Häuter, der ein langbekanntes Signal vernimmt und im nächsten Moment durchgeht. Die junge Garde wird kribblig. Der Zeck rammt sich mit Wonne in seinen Klappstuhl und betont schon jetzt seine entschlossene Anwesenheit, da mag über ihn kommen, was will.
Minze, der Vater, zahlt sofort seine Virschinia und sein Bier. Minze, der Sohn, setzt im gleichen Atemzug seinen Hut auf, weil er abwandern will. Dann bleibt er doch da und streunt mit dem Hut auf dem Kopf zwischen den Tischen. Es treibt ihn um und um vor Neugierde, wenn er auch innerlich bangt. Rih hört nur mit halbem Ohr hin und ertränkt seine Niederlage. Der Bäcker mit dem Weltrekord hat aus seinem Spazierstock unvermutet eine Stahlklinge gezaubert und fuchtelt mit der nadelscharfen Mordwaffe herum. Er muß sie auf der Stelle wieder einstecken und den gefährlichen Stock an den Obmann abliefern.
Jetzt sucht Gustl einen Blitzableiter für die zunehmende Spannung und kommandiert seine Abteilung an die Riesenschaukel. Das wuchtige lange Brett, das an vier Eisenstangen von einem überdachten Gebälk niederhängt, ist der Hauptreiz der Emeramschweige. Je zwei Mann, die zwischen den Stangen stehn, geben wechselweise den Antritt und schaukeln das Brett hin und her.
Das Volksvergnügen kostet nicht den geringsten Eintritt. Hinter Gustl als Vordermann sitzen sie, wie die Heringe aneinandergepreßt, in der Grätsche; jeder hält sich am vor ihm Sitzenden ein.

»Höher!« befiehlt Gustl.
»Nur erst in Schwung kommen lassen!«
Mit Hui fliegt die kompakte Reihe das Brett entlang, das von den vielen Hintern der vielen Jahre schon glattgeschliffen ist, als wäre es eingeseift, und saust zurück, als wäre es ein langes Weberschiff aus Menschenleibern. Man möchte nicht glauben, wie da immer noch mehr Raum fürs Rutschen entsteht und wie die Körper immer noch inniger miteinander verwachsen. Die Treiber hüpfen hochauf und stampfen, die Stangen quietschen, und die fliegenden Schaukler kreischen bei der Belustigung.
Wäre Gustl mit seinen Mannen bloß nicht auf die Schaukel gegangen! Dann könnte die Phalanx der Maurer, die soeben im Wirtsgarten eintrifft und auf dem kürzesten Weg nach dem Salettl stapft, die umgelegten Stühle der Abwesenden nicht waagrecht klappen und sich mit besitzendem Gesäß darauf pflanzen. Entweder dürfen es die Maurer oder sie maßen es sich an. Sie haben nicht einmal den Obmann gegrüßt. Es wird lähmend still.
»Hier sind sämtliche Stühle besetzt,« berichtigt der Obmann und steht auf, damit ihn ja alle sehn.
»Ob die Stühle vorher besetzt waren, ist uns egal. Jetzt sitzen wir da,« betonen die Brüder vom Mörtl ihre vorsätzliche Absicht. Es sind harte Burschen mit Schlägerarmen und keinen geringen Fäusten.
Der Obmann verläßt unter Protest das Lokal, das einmal ein Asyl war. Die Maurer spalten grinsend das Maul.
Die Vergeltung ist schon auf dem Weg. Gustl die Maurer erspähn, das dahinschießende Brett stoppen lassen, ist eins. Noch schwankend wurzeln die Gestalten auf dem festen Erdboden an, dann fegen sie über den Kies nach dem geraubten Salettl. Sie haben eine solche Anmaßung bisher nicht erlebt.
»Von den Plätzen weg, wer nicht auf die Plätze gehört!« bellt Gustl scharf. Die entwurzelten Schaukler stampfen zur Bekräftigung mit dem Huf auf und scharren. Man sollte er-

warten, daß es den Usurpatoren durch Mark und Bein geht.
Nichts ruckt und rührt sich. Die Eindringlinge widmen sich mit schweigender Hingabe der puren Seßhaftigkeit. Ihr Hinterteil ist so gut wie angewachsen.
Dem Gillich in seiner Wut wird es langsam klar, daß es so nicht gemacht wird. Kein Krieg wird durch reine Aussprache gewonnen. Der graue Grimm steht auf seiner niedrigen Stirn, der männliche Ernst. Er überblickt seine Mannen, ob sie sich nicht in Luft aufgelöst haben. Dann senkt er den Kopf wie ein Stier. Raufen wird Ehrensache.
Die Maurer sitzen wie die Träumenden da. Dies ist der Augenblick der Sammlung. Langsam, aber zielbewußt fassen die Finger den Maßkrug, den sie gerade erreichen.
Dann löst sich die Stauung der Gemüter in einem Weltuntergang.
Wie der Pfropfen aus der Flasche spritzt Minze mit dem Hut aus dem Salettl, verkündet allen zurückweichenden Gaffern:
»Sie gehen mit dem Stuhlbein aufeinander los und mit dem Krug.«
»Auf gehts, Kinder!«
Hei, wie die Sportler manchen Maurer samt dem Stuhl vom Fußboden lüpfen! Sie haben dafür einen Dreh. Die Maurer haben die größere Wucht, aber sie sind schwerfällig wie Lokomotiven. Die Sportler winden sich wie die Eidechsen durch. Sie wissen manchen Griff, durch den es dem Gegner bestimmt ist, an der eigenen Kraft zu zerschellen.
Gustl nimmt den Paintner mit Macht in die Schere. Er stößt dabei Laute einer entzückten Raserei aus. Am Zeck bricht sein gesuchter Mann dreimal ein Stuhlbein ab, aber der Zeck läßt sich dadurch nicht stören. Er zerteppert am krebsroten Kopf einen Maßkrug, als hasse er die Farben.
»Die Metzger wenn da wären!« ruft er seinen eigenen Psalm. »Ewig schad, daß die Metzger nicht da sind!«

Rih hat freien Raum um sich geschaffen, indem er um seine Achse einen Stuhl im Kreis herumschwingt.
»Nur über meine Leiche!«
Dann stürzen, gekrümmt vom Leid der Welt, die Ersten aus dem Salettl, die sich ihre verwundeten Köpfe halten, ihre geprellten Knochen verwöhnen, ihre Blutergüsse sich ansammeln lassen.
Eine halbe Stunde später sind die gefürchteten Maurer vertrieben.
Im Salettl schaut es aus wie im Lazarett. Die Sportler ziehen das Hemd aus der Ledernen, reißen vom unteren Rand einen genügenden Streifen ab, mit dem sie die diversen Blutungen verbinden. Sie hatschen herum wie kranke Fliegen. Es gibt einige, die werden schon wieder frech.
Sie besinnen sich auf den Veranlasser der plötzlich ausgebrochenen Feindschaft.
Eigentlich haben sie gegen ihn gar nichts gehabt. Sie haben ihm bloß die Mitgliedschaft nicht nachgeworfen, wenn er sich schon für den anderen Verein keilen ließ, bei dem er nicht wirklich hochkommt.
Aber bei ihnen käme er hoch.
»Der Paintner ist eben verbittert.«
Sie müssen sich zugeben, daß sie in ihrem Verein so einen Läufer nicht haben. Von rechtswegen müßten sie ihn mit dem Handschuh anfassen.
Es läuft ein Gerücht, demnächst wird beschlossen, den Paintner als Läufer für den eigenen Verein zu keilen.
Der Kerl hat bloß noch nichts gemerkt von seinem Glück. Er liegt mit einer Gehirnerschütterung in seiner verlassenen Ecke und kotzt. Nun, das wird sich wieder geben. Bei der Abendrauferei hat er sich am besten gehalten. Sogar seine Gegner erkennen es an. Er hat sich Respekt verschafft, er wäre eine Zierde für den Verein.
Gustl hat da gar nichts dagegen, er war immer für Förderung der Begabten.
Er rappelt sich aus einem anderen Winkel auf und spuckt

vier Vorderzähne in ein sauberes Taschentuch, daß es rasselt.
»Schön wars doch,« pfeift er aus sämtlichen Lücken.
Man spürt, daß man lebt.
Dann schlägt er auf einen ganzgebliebenen Tisch, zitiert den grantigen Wirt und bestellt eine Siegerrunde.

Roman vom Rauchen, Sporteln, Lieben und Verkaufen. Geschrieben 1930 bis 1931 in Berlin. Erschienen Herbst 1931 im Gustav Kiepenheuer Verlag Berlin; Titel: *Mehlreisende Frieda Geier.* Erstes ausgeführtes Romanprojekt, nachdem Versuche, einen Roman für den Ullstein-Verlag zu schreiben, aufgegeben waren.

Zeit des Geschehens 1926 bis 1928. Autobiographische Züge in Frieda, Linchen (»Linchen, das ist Frieda Geier zwölf Jahre zuvor«) und in der Verarbeitung der Bekanntschaft mit Josef Haindl (Gustl), den Ml. Fl. 1935 heiratete.

Neufassung des Romans im Februar/März 1972. Neuer Titel: *Eine Zierde für den Verein*; (die ersten Kapitel des Romans wurden in dem Erzählungsband *Abenteuer aus dem Englischen Garten,* Bibliothek Suhrkamp 1969, unter dem Titel *Gustl ein Schwimmer und Retter* wieder gedruckt).

Die wichtigsten Veränderungen gegenüber der Fassung von 1931: Aufhebung der Kapitelnumerierung, Einsetzen der richtigen Namen für die Ingolstädter Straßen, Kirchen und die Donau. (Beibehalten ›Bitterer Stein‹; »weil mir die Bezeichnung als eine aus dem Unterbewußtsein stammende Benennung erschien«. Ml. Fl.). Name der Hauptperson, Gustl Amricht, wird in der Neufassung ersetzt durch den Ingolstädter Namen Gillich (»Es besteht kein Zusammenhang mit dem hiesigen Namensträger.« Ml. Fl.). Viele sprachliche Änderungen und Präzisierungen. Ausgedehntere Behandlung des Holzdiebstahls für den Badesteg des Vereins (s. auch Neufassung der *Pioniere in Ingolstadt*); Vereinfachung und Verdeutlichung der Erzählungsführung von Gustls Reise zu Linchen, der Entdeckung von Scharrers Bahnattentat, neu die Erinnerung Linchens an die Brutalität der Männer und Verstärkung von Gustls Abrechnung mit Scharrer. Ausführlich motiviert wird jetzt die Bedrängung Friedas durch vier junge Männer vermittels der Motivkette vom Judenfriedhof; neu der Bericht über Rachels Tochter (Antisemitismusmotiv). Im Zusammenhang damit Einbringen von Erfahrungen nach 1933.

Zeittafel

1901 Marieluise Fleißer wird am 23. November in Ingolstadt geboren.

1907 Eintritt in die Volksschule. Zwei Jahre später Übertritt in die Töchterschule.

1914 geht sie nach Regensburg in das Mädchengymnasium.

1917 liest sie heimlich die Romane von Strindberg.

1919 im Sommer Abitur. Immatrikulation an der Ludwig-Maximilian-Universität in München; hauptsächlich Theaterwissenschaft bei Arthur Kutscher.

1922 lernt sie Lion Feuchtwanger kennen.
Sie sieht in den Kammerspielen *Trommeln in der Nacht* von Bertolt Brecht.

1923 *Meine Zwillingsschwester Olga* (späterer Titel *Die Dreizehnjährigen*). *Meine Freundin, die lange.* Erzählungen.

1924 Anfang des Jahres beginnt sie, heimlich ein Stück zu schreiben, dem sie später den Titel *Die Fußwaschung* gibt.
März: Brecht läßt sie auffordern, zur Generalprobe vom *Leben Eduards* in die Kammerspiele zu kommen.
Ende 1924: Rückkehr nach Ingolstadt.

1925 *Abenteuer aus dem Englischen Garten.* Erzählung

1926 25. April: Uraufführung von *Fegefeuer in Ingolstadt* (früherer Titel *Die Fußwaschung*) durch Moriz Seeler, Junge Bühne, im Deutschen Theater Berlin.
Sie erhält einen kleinen Rentenvertrag von Ullstein. Im Spätsommer und Herbst besucht sie Brecht öfter in Augsburg. Im Spätherbst geht sie nach Berlin und bleibt bis Sommer 1927.

1927 im 2. Halbjahr wieder nach München. Sie nimmt die noch 1926 begonnenen *Pioniere* wieder auf, fährt zwischendurch mit dem Sportschwimmer und späteren Ehemann Sepp Haindl an den Wörther See, beendet die *Pioniere.*

1928 Rückkehr nach Ingolstadt.
25. März: Uraufführung der *Pioniere* an der Komödie Dresden durch Renato Mordo.
Ein Pfund Orangen. Die Ziege. Erzählungen.

1929 Aufführung der *Pioniere* am Theater am Schiffbauerdamm in Berlin. Ein vorbereiteter Theaterskandal mit politischem Hintergrund.
Der Vater erteilt ihr Hausverbot.
April: Bruch mit Brecht.

Mai/Juni: Schwedenreise und Verlobung mit Draws, Redakteur der Berliner Börsen-Zeitung.
Herbst 1929/Anfang 1930 *Der Tiefseefisch.* Drama.

1930 dreimonatige Reise mit Draws nach Andorra. Rentenvertrag für ein Jahr mit dem Gustav Kiepenheuer Verlag. Sie schreibt die *Mehlreisende Frieda Geier.*

1931 erscheint die *Mehlreisende Frieda Geier.*

1932 Geldsorgen. Sie schreibt noch ein paar weitere Berichte für das Buch *Andorranische Abenteuer,* das im Herbst im Kiepenheuer Verlag erscheint. Nervenkrise und mißglückter Selbstmordversuch.
Im Herbst kehrt sie nach Ingolstadt zurück.

1933 Mai/Juni: wieder in Berlin.
Ende Juni: Rückkehr nach Ingolstadt.
Aus diesem Jahr sind nur die Erzählungen *Frigid* und eine erste Fassung von *Schlagschatten Kleist* erhalten.
Auflösung der Verlobung mit Draws.

1935 Heirat mit dem Tabakwarengroßhändler und früheren Verlobten Sepp Haindl. Sie muß im Geschäft mitarbeiten. Sie erhält Schreibverbot.

1937 erste Fassung von *Karl Stuart.* Drama.

1938 August: Nervenzusammenbruch durch Arbeitsüberlastung.

1943 Kriegseinsatz als Hilfsarbeiterin. Infolge der Überlastung treten wieder nervöse Störungen auf. Es gelingt ihrem Mann, sie vom Kriegseinsatz zu befreien.

1944 beendet sie *Karl Stuart.*

1945 ihr Mann kehrt herzkrank und abgemagert aus dem Krieg zurück.
Der starke Stamm. Drama.

1949 *Er hätte besser alles verschlafen. Das Pferd und die Jungfer. Des Staates gute Bürgerin.* Erzählungen.

1950 Wiedersehen mit Bertolt Brecht bei den Proben von *Mutter Courage* an den Kammerspielen München.
Der starke Stamm wird von Schweikart für die Kammerspiele angenommen. Rundfunk und Fernsehen werden aufmerksam.

1951 Preis vom Kuratorium der Stiftung zur Förderung des Schrifttums.

1952 sie muß ihrem Mann im Geschäft helfen und findet keine Zeit zum Schreiben.
Erster Preis im Erzählwettbewerb des Süddeutschen Rundfunks für *Das Pferd und die Jungfer.*

1953 Literaturpreis der Bayerischen Akademie der Schönen Künste.

1956 Begegnung mit Brecht in Ostberlin.

Sie arbeitet für den Bayerischen Rundfunk, Abteilung Hörfunk, im Lektorat, um Geld zu verdienen.
Ordentliches Mitglied der Bayerischen Akademie der Schönen Künste.

1958 stirbt ihr Mann.
15. Januar: sie erleidet einen Herzinfarkt. Man glaubt nicht, daß sie ihn übersteht.
Sie löst das Geschäft ihres Mannes auf.

1961 23. Dezember: erste Verleihung des neueingerichteten Kunstförderungspreises der Stadt Ingolstadt an Marieluise Fleißer.

1963 *Avantgarde.* Erzählung.

1964 *Der Rauch.* Erzählung.

1965 *Die im Dunkeln.* Erzählung.
Förderungspreis des Kulturkreises im Bundesverband der Deutschen Industrie.

1966 *Der starke Stamm* wird an der Schaubühne am Halleschen Ufer aufgeführt.
Zwei Monate in der Villa Massimo. Sizilienreise.
Der Venusberg. Erzählung.

1967 sie beginnt, wieder an den *Pionieren in Ingolstadt* zu arbeiten, die sie 1926 schrieb.

1968 der Suhrkamp Verlag nimmt das Stück *Pioniere in Ingolstadt* an.

1970 1. März: Uraufführung der neuen Fassung *Pioniere in Ingolstadt* am Residenztheater München.

1971 30. April: Uraufführung der neuen Fassung *Fegefeuer in Ingolstadt* an den Wuppertaler Bühnen.
R. W. Fassbinder bearbeitet die *Pioniere in Ingolstadt* für das Fernsehen.

1972 die *Gesammelten Werke* erscheinen im Suhrkamp Verlag.

1974 1. Februar: Marieluise Fleißer stirbt in Ingolstadt.